MW00603561

PRÓLOGO POR MARCOS WITT
PREÁMBULO POR MARTÍN MOTTESI

REPENSANDO EL
FUTURO

*UN ANÁLISIS PROFUNDO DE LA SOCIEDAD
ACTUAL Y LA DEL MAÑANA*

ALBERTO
MOTTESI

REPENSANDO EL FUTURO
Un análisis profundo de la sociedad actual y la del mañana
© 2022 por Alberto Mottesi

ISBN: 978-1-956625-16-5

Editado por: Evangelina Daldi

Publicado por Renacer Uno
www.renaceruno.com

Impreso en Colombia.

1 2 3 4 5 6 7 8 9 10 11 24 23 22 21

CONTENIDO

Dedico este libro a los periodistas valientes, los gobernantes íntegros, los líderes que no soportan el engaño y la injusticia.

A los cristianos de todas las vertientes que no se atrincheran en el área de confort sino que son la sal, la luz y hacedores de buenas obras.

A toda persona que combate la corrupción.

AGRADECIMIENTOS

A mi amada esposa Noemí, a toda mi familia y a mis compañeros de trabajo por su apoyo.

Agradezco a mis compañeros de la Facultad de nuestra Universidad, el Dr. Eduardo Font y el Dr. Melvin Valiente por animarme con sus comentarios.

A mi querido amigo Marcos Witt, adorador, músico y reconocido con múltiples e importantes premios. Además, es uno de los más grandes influenciadores de esta generación. ¡Gracias por escribir el prólogo!

A mi amado hijo Martín, empresario y presidente de nuestro ministerio, quien ha escrito hermosas palabras.

A mi compañera de ministerio, Lic. Nely Ruano, por coordinar la publicación del libro.

A Claudio de Oliveira y Xavier Cornejo por sus muy valiosas ideas.

A todos los que influenciaron mi vida.

Y especialmente a Dios, a quien le debo todo.

PRÓLOGO

Me gusta un libro que me hace pensar. Debo admitir que algunas de sus reflexiones me incomodan ante el desafío de pensar de una manera distinta o completamente nueva. Aun así, prefiero ser desafiado en mis pensamientos que mantener una rutina intelectual cómoda pero mediocre. Este es un libro que la palabra "pensar" está en el título mismo. Sin embargo, con cada capítulo que leía, Alberto Mottesi me sorprendió con sus declaraciones y afirmaciones que, de acatarlas, viviremos un futuro mejor.

Siempre he conocido a Don Alberto como un pensador. En él reside la capacidad de recabar la información de lo que vivimos a diario y organizarlo dentro de un contexto tanto espiritual/bíblico como profético. Las conclusiones a las que llega nos sirven como un mapa que nos dirigirá en la ruta de ajustar nuestros pensamientos hacia una cosmovisión más allegada a la que Dios ideó al crear este mundo en el que vivimos.

En este libro, Alberto Mottesi nos toma de la mano, siendo uno de los guías espirituales más respetados de nuestra generación, y con denuedo y firmeza, se entrega a la tarea de guiarnos en un extenso y detallado cuestionamiento del por qué hacemos lo que hacemos de la manera en que lo hacemos. Sentimos la urgencia de espíritu que lo mueve a escribir este documento, que más bien parece un manifiesto revolucionario. Hace mucho que al terminar un libro no me siento tan desafiado como cuando terminé de leer *"Repensando el Futuro"*. Prepárese para hacerse muchas preguntas y cambiar muchas costumbres.

Sin visión, el pueblo perece, se distrae, se pierde. Cuán importante es tomarnos el tiempo para escribir una visión fresca de lo que Dios desea hacer a través de nuestra vida en el mundo cambiante en el que vivimos. Es hora de repensarlo todo. Es hora de cambiarlo todo. Dios mismo nos está hablando a través de estas páginas. En lo personal, he tomado decisiones con base en lo que leí. Deseo ser parte del cambio. Deseo participar activamente en aquel ejército que vive el Evangelio, no solo lo predica. Deseo repensar el futuro para dejarles un mejor mañana a mis hijos y nietos. Espero que se nos una, porque necesitamos todas las manos a la obra.

Marcos Witt
The Woodlands, TX
Mayo 2022

PREÁMBULO

"Entonces, ¿piensas seguir <u>los pasos</u> de tu padre?" Esta fue la pregunta que me hacían casi todas las semanas mientras crecía. Realmente no pude entender la pregunta hasta que tuve la edad suficiente para aceptar que ningún hombre debe seguir <u>los pasos</u> de otro hombre. Estamos hechos a la perfecta imagen de Dios con un propósito que la mayoría de nosotros aún no hemos alcanzado. Este libro no se trata de religión o de seguir reglas legalistas. Está específicamente destinado a desafiar la forma en que pensamos, nos comportamos y tratamos unos a otros. A Dios le importa más tu corazón, y no las veces que asistes a la iglesia.

Si quieres seguir <u>los pasos</u> de otra persona, por favor devuelve este libro y recupera tu dinero. Pero si quieres dar rienda suelta a tus talentos otorgados por Dios para perseguir la vida más hermosa que Dios ya ha preparado para ti, sigue leyendo.

Es una verdad absoluta que necesitamos vivir por fe. Fe en saber por qué estamos aquí y fe en saber que viviremos por la eternidad. Pero esto no mitiga el elemento crucial que el razonamiento crítico es necesario para lograr nuestro mayor y mejor uso en la vida. Dios es muy claro al decirnos que quiere AMBOS, nuestros corazones y nuestras mentes. Ambos, el emocional y el analítico. Entonces, ¿por qué nos volvemos completamente emocionales acerca de nuestra fe y nos olvidamos del razonamiento crítico? Fe y ciencia van de la mano. ¿Te das cuenta de que, si la tierra se saliera de su eje un grado el sol la quemaría por completo? ¿Sabías que los mismos absolutos que controlan las matemáticas, la ciencia y los negocios están basados fundamentalmente en las leyes de la naturaleza que Dios creó para todos nosotros?

No importa si eres el director ejecutivo de una firma global, un médico, ama de casa o conserje. El único punto de conexión que cada ser humano comparte es que todos fuimos creados a la perfecta imagen de Dios. Cada persona tiene libre albedrío y toma decisiones todos los días. ¿Realmente creemos que es exclusividad de los pastores decirnos qué pensar? Ya sabemos que aprendemos de los demás. Pero es absolutamente crucial que cada persona siga su propio camino, en su andar de fe personal caminando al lado de Cristo. Si eres una persona legalista, te pediré nuevamente que devuelvas este libro para que te regresemos tu dinero. Pero si quieres buscar una comprensión profunda de quién eres, empecemos por ser honestos, aceptando nuestras propias deficiencias, dejemos de juzgar a los demás, y mirémonos interiormente como nunca antes.

Este es un libro muy personal para mí, ya que tengo el privilegio y el honor de que el hombre a quien más admiro me ha pedido que escriba este preámbulo. Este libro no te dará todas las respuestas que buscas, pero te ayudará a hacer las preguntas correctas. Fuimos creados para vivir con alegría (no sin dolor), con alegría a través de todo lo que enfrentamos. Es muy difícil cambiar a otros, así que dejemos de intentarlo y, en su lugar, concentrémonos en vivir como ejemplos para que otros vean lo que hacemos y cómo lo hacemos. La mayoría de nosotros vivimos nuestras vidas tratando de ser mejores en lo que no somos. Yo te digo que, en lugar de este enfoque, suelta lo que haces mal y enfócate sólo en lo que haces bien, para ser bueno en eso. Elimina, desecha, esas cosas que te deprimen, especialmente aquellas que hacemos para nosotros mismos y que nos sabotean.

Si podemos sentirnos cómodos sintiéndonos incómodos, no puedes imaginar el crecimiento que lograremos. El razonamiento crítico nos hará sentir incómodos porque puede que no proporcione la sensación de calidez que deseamos. ¿Buscas la verdad o el camino más fácil? Todos sabemos que la distancia más corta entre dos puntos es una línea recta. Desgraciadamente en la vida, eso no existe. Tienes que estar preparado y aceptar que tendrás desafíos en la vida, que no tienes idea cómo superar. Pero los desafíos a los que te enfrentes importarán menos que tu carácter durante esos tiempos. ¡Nunca pierdas la esperanza!

Los únicos pasos que debemos seguir son los de Cristo; ninguna otra cosa como esta, desatará la grandeza que Dios te ha dado. Disfruta de este libro mientras repiensas el futuro.

Martín E. Mottesi

Presidente, Alberto Mottesi Evangelistic Association Inc.
Director Ejecutivo de Come Alive Organics LLC
California

INTRODUCCIÓN

Prepara una buena taza de café. Ponte zapatos cómodos y zambúllete en el sillón más confortable que tengas porque vamos a compartir varias horas juntos.

Este libro no lo escribí para mis amigos académicos, aunque me encantaría que lo leyeran.

Lo escribí para gente común y corriente porque es la gente común y corriente la que produce los grandes cambios.

Me encanta Lech Walesa. Lideró el sindicato clandestino Solidaridad. Fue el primer sindicato independiente en un país del bloque soviético.

Cientos de miles de obreros polacos emprendieron un movimiento enorme de huelgas que se extendieron por todo el país. Como dijeron algunos medios en agosto de 1980, esta rebelión obrera "hizo temblar a la clase dominante de Polonia y otros países".

Este sindicato dio lugar a un amplio y pacífico movimiento social en la lucha contra el comunismo polaco y contribuyó decisivamente a la caída del comunismo estalinista de Europa del Este.

El exelectricista y líder obrero Lech Walesa ganó el Premio Nobel de la Paz y fue presidente de Polonia entre 1990 y 1995.

Aquellos cientos de miles de obreros que iniciaron su lucha en 1980, liderados por Walesa, dieron lugar al moderno estado polaco que fue ejemplo para otros países de Europa del Este, tras la caída del muro de Berlín.

La gente común y corriente puede hacer maravillas.

Lo segundo que quiero compartirte en esta introducción es que la gente inteligente no ataca a personas; la gente inteligente discute ideas. Espero que tú seas una de ellas.

Probablemente algunas de mis ideas puedan parecerte controversiales, y te animo a que puedas dialogar sobre ellas. Pero por favor nunca bajes al plano de los ataques personales.

Estoy cansado de un mundo, incluyendo el religioso, lleno de ataques.

Alguien contó que, desilusionado por las críticas destructivas, le preguntó a uno de sus mentores qué hacer. Este le respondió: "Para ser un líder necesitas tres cosas: mente de erudito, corazón de niño y piel de rinoceronte".

Como yo no tengo la piel tan dura como el rinoceronte, espero que nos mantengamos en el plano de compartir ideas. Lo que sí te aseguro es que estas páginas intentan plasmar ideas pasadas por el filtro de la Palabra de Dios.

Si podemos partir de esta misma base, estoy seguro de que vamos a encontrarnos a los pies de la cruz de Cristo, máxima expresión de amor, grandeza, dignidad, servicio desinteresado y compasión por los demás.

Allí te espero.

Alberto Mottesi

"ESTAMOS VIVIENDO UN MOMENTO HISTÓRICO EN QUE EL HOMBRE ES CIENTÍFICA E INTELECTUALMENTE UN GIGANTE, PERO MORALMENTE ES UN PIGMEO".

-MARIO MORENO CANTINFLAS

MIMO, ACTOR, PRODUCTOR, GUIONISTA
Y COMEDIANTE MEXICANO DE LA ÉPOCA DE ORO

CAPÍTULO I

REPENSAR EL MUNDO

El pueblo se llama Telluride. Es una pequeña comunidad en las montañas de Colorado.

El lugar en invierno tiene más visitas que residentes permanentes. Vienen cientos de jóvenes deseosos de deslizarse en las laderas de esas montañas cubiertas de nieve. ¡La vista es espectacular!

Nuestro hijo mayor, Marcelo, nos convocó aquí y aquí nos hemos quedado todos: los hijos, sus preciosas compañeras y los cinco nietos.

Cada día todos ellos salen a esquiar. Noemí y yo permanecemos en la tibieza de la cabaña. Afuera hace varios grados bajo cero.

Me encanta la enorme chimenea. Los nietos la alimentan con leña del lugar y uno de ellos se encarga de mantener el fuego ardiendo.

Es una de las experiencias más placenteras; los pies bien abrigados, una taza de café, la majestuosidad de los picos nevados a través de las ventanas y el fuego. Ese fuego que arde en la chimenea, aunque no alcanza la intensidad de ese otro fuego, el del corazón.

Ese corazón que después de caminar toda la vida con el Señor quiere gritar más fuerte que nunca: ¡Dios es real! ¡Su amor es real! ¡Su Palabra es verdad! ¡No nos demos por vencidos frente a la injusticia y la corrupción!

¡Qué interesante la forma en la que Dios trabaja! Este libro debí escribirlo hace ya varios meses, tal vez años, pero el ritmo intenso del ministerio no me permitió estudiar lo suficiente como para hacerlo.

Así que el Señor, que es tan sabio, me sacó del frenesí del trabajo y me trajo a un lugar cuya altura, unos nueve mil pies (tres mil metros aproximadamente), no me permite moverme rápido y casi a la fuerza me pone a desarrollar ideas.

No es casualidad que hace pocos días recibí la noticia de la partida de este mundo de Desmond Tutu, quien fue Arzobispo anglicano de Sudáfrica. El presidente Mandela le encargó a él presidir la Comisión para la Verdad y la Reconciliación. Algunos lo llamaron "la conciencia moral de Sudáfrica".

Surgen preguntas que me inquietan. ¿No deberíamos, cada político, cada empresario, cada periodista, cada obrero cristiano, cada líder gremial y cada comunidad de fe ser la conciencia moral de nuestras ciudades y naciones? ¿Qué le ha pasado al cristianismo?

Cuando Dios concibe la Iglesia para que sea su representante, para continuar con su plan en el mundo que Él creó, no la pensó como un edificio y una reunión del domingo por la mañana. Ambas cosas son funcionales, pero no debieran ser lo central de la vida de la Iglesia.

Él planificó la Iglesia como un movimiento. Un movimiento empoderado sobrenaturalmente y penetrando la comunidad más extensa y llenándola de su carácter, sus principios y su santidad.

¿Cómo es posible que la Iglesia más grande de la historia (numéricamente hablando) tenga la menor influencia de toda la historia?

Algo no está bien.

¡Viene una avalancha! ¡No... no! tranquilo. No es una avalancha de nieve. Es una avalancha de sentimientos, de autocrítica, de repensar quiénes somos, qué estamos haciendo, cuál es nuestro papel y hacia dónde vamos.

Esto tiene que incluir repensar el mundo y repensar la Iglesia. Siempre dijimos que el Evangelio no cambia, pero el modo de comunicarlo debería hacerlo.

¡Qué mundo extraño en el que vivimos!

Rebelde ante su Creador, incapaz de aprender las lecciones de su propia historia y cambiante como muchachito confundido frente a los desafíos que se le presentan.

Esta característica cambiante se acentuó después de la pandemia del COVID-19.

Entender la nueva modalidad nos ayudaría a vivir mejor y de forma más fructífera.

Analistas de todo el mundo predicen diferentes situaciones.

Los seres humanos anhelamos socializar, pero las cosas no volverán a ser iguales. Se cerrarán miles de oficinas porque el trabajo en línea llegó para quedarse.

Muchas reuniones de ejecutivos y directores que antes requerían estar cara a cara, ahora se realizan vía Zoom.

Habrá una ola gigante de despidos agravada por el inicio de la época de la automatización. Ya antes de la pandemia, de acuerdo con la Universidad de Oxford, se anticipaba que la mitad de los trabajos desaparecerían.

Hay una venta menor de ropa formal y una venta mayor de ropa casual acentuado por el trabajo desde casa.

Muchos congresos serán reemplazados por encuentros virtuales, muchísimo más económicos.

Muchas universidades reducirán sus campus porque habrá una combinación entre lo presencial y lo virtual.

El ser humano se tornará cada vez más hacia lo natural. El turismo crecerá exponencialmente en torno a la naturaleza.

Dado que la ubicación de la casa en relación con el lugar de trabajo ya no es importante, muchos se desplazarán hacia los suburbios en búsqueda de espacios verdes.

Las iglesias se enfocarán mucho más en el discipulado. Menos eventos, más grupos de estudio y de formación.

El cambio climático dejará de ser un asunto solo de científicos y gobernantes y se convertirá en el interés del ciudadano común. Todos debemos hacer algo para salvar la tierra, nuestra casa grande.

Sin embargo, hay otras cosas que no cambiarán, por lo menos no en el futuro inmediato.

Una de ellas es la pasión popular por grandes ídolos, esos con pies de barro.

La gente continuará idolatrando a cantantes, actrices, actores y deportistas renombrados.

Estos personajes continuarán recibiendo sumas enormes de dinero en compensación por brindarle entretenimiento a la gente. En realidad, lo que brindan, en muchos casos, es una válvula de escape a los problemas cotidianos, sentimientos negativos y necesidades profundas.

Espectáculos que terminan en orgías, drogas, alcohol y sexo se multiplican. Encuentros de fútbol donde las barras bravas se enfrentan como si fuera una guerra entre enemigos.

El fútbol, tan atractivo y apasionante, se ha convertido en un negocio gigantesco. ¡Con lo que me gusta el fútbol!

Cuando era niño mi padre me llevaba todos los domingos a ver "al cuadro de sus amores". Aquella delantera de River Plate era imparable: Vernazza, Prado, Walter Gómez, Labruna y Loustau, ¡eran una máquina de hacer goles!

Recuerdo la época de oro del Barcelona con aquel tridente que parecía sacado de una película de ciencia ficción: Neymar, Suárez y Messi hacían goles que parecían una obra de arte.

Pero es obvio que la comercialización del deporte es la prioridad para los promotores de este.

En Estados Unidos, el Super Bowl es uno de los mayores eventos deportivos del país. Unos cien millones de personas lo ven por televisión. Un aviso publicitario de treinta segundos durante la transmisión televisiva cuesta unos siete millones de dólares. Al estadio, en el 2022, asistieron setenta y dos mil personas.

El precio promedio de entrada fue de $8,000, y en cierto sector llegó a costar $72,000.

El premio Nobel de literatura Mario Vargas Llosa, en su libro *La civilización del espectáculo*, habla de "un mundo donde el primer lugar en la tabla de valores vigente lo ocupa el entretenimiento, y donde divertirse, escapar del aburrimiento es la pasión universal. Este ideal de vida es perfectamente legítimo, sin duda. Solo un puritano podría reprochar a los miembros de una sociedad que quieran dar solaz esparcimiento, humor y diversión a unas vidas encuadradas por lo general en rutinas deprimentes y a veces embrutecedoras. Pero convertir esa natural propensión a pasarlo bien en un valor supremo tiene consecuencias inesperadas: la banalización de la cultura, la generalización de la frivolidad y, en el campo de la información, que prolifere el periodismo irresponsable de la chismografía y el escándalo".

En otro orden de cosas, repensar el cristianismo me parece algo urgente.

Supe de una denominación que en la ciudad de Los Ángeles tenía ochenta y nueve congregaciones y al momento de escribir este libro, bajaron a sesenta. Algunas de ellas con no más de veinte asistentes.

Creo que vivimos una época "posdenominacional". Doy muchas gracias a Dios por las denominaciones. La mayoría de ellas nacieron por obra del Espíritu Santo. Otras por divisiones. Y creo que deben continuar; realmente espero que lo hagan, pero deberán renovarse si quieren ser pertinentes.

El mundo, especialmente la juventud, está clamando por un cristianismo auténtico, una fe práctica.

Encuestas serias indican que en los Estados Unidos el grupo menos representado en las congregaciones está comprendido por los que tienen entre 13 y 35 años. Al llegar a la escuela secundaria le dan la espalda a la Iglesia.

Le preguntaron a los de esa edad: "¿Crees lo que enseña la Iglesia?". "Sí", contestaron.

"¿Entonces por qué no te congregas?". La respuesta generalizada fue: "Porque no creo en los que predican en la Iglesia".

Alguno podrá decir: "Yo no soy parte de una iglesia denominacional. Yo soy parte de una iglesia local independiente o de una mega iglesia". Da igual.

También deberán repensarse.

Hay un llamado mundial para que la Iglesia regrese a la modestia, la simpleza, el servicio, la humildad. Si vamos a cumplir la misión cabalmente, tendremos que buscar la unidad con otros, aunque sean diferentes.

Dijo un teólogo puertorriqueño, el Dr. Orlando Costas: "Evangelización sin unidad, es un disparate teológico".

El Evangelio se nos ha compartido para reconciliarnos con Dios y con todos los seres humanos.

Más adelante vamos a incursionar en repensar la Iglesia. Por ahora, te dejo algo: la Iglesia debe revelar a Jesús, su carácter, su compasión, su perdón, su entrega, su modestia. Menos espectáculo, ¡más de Jesús!

Menos personalidades humanas, ¡más de Jesús! Menos dogmas, ¡más de Jesús! Menos apetito por poder económico, político o religioso, ¡más de Jesús!

Tengo que agregar un poco más de leña al fuego. Nos vemos en el próximo capítulo.

"No os conforméis a este siglo, sino transformaos por medio de la renovación de vuestro entendimiento, para que comprobéis cuál sea la buena voluntad de Dios, agradable y perfecta".

—ROMANOS 12:2

MIS REFLEXIONES

_____

_____

_____

_____

_____

_____

"UNA NACIÓN SE SENTENCIA A SÍ MISMA CUANDO SUS GOBERNANTES LEGALIZAN LO MALO Y PROHÍBEN LO BUENO, Y CUANDO SU IGLESIA COBARDEMENTE SE VUELVE CÓMPLICE CON SU SILENCIO".

—MARTIN LUTHER KING

PASTOR Y ACTIVISTA
ESTUVO AL FRENTE DEL MOVIMIENTO POR LOS DERECHOS CIVILES PARA LOS AFROESTADOUNIDENSES. PREMIO NÓBEL DE LA PAZ

CAPÍTULO II

CORRUPCIÓN Y TURBULENCIA DE LA DEMOCRACIA

Nunca hemos tenido tantas comisiones de ética, comités por el comportamiento gubernamental, procesos de transparencia, etc., como ahora.

Y nunca hemos tenido tan altos niveles de corrupción como ahora.

La corrupción es un cáncer en el corazón de la sociedad; especialmente en la hispana que es la que mejor conozco.

El caso Odebrecht en las últimas dos décadas fue uno de los más grandes en América Latina. Centenares de funcionarios públicos se corrompieron.

Pero a ello hay que sumarle centenares de otros ejemplos de corrupción.

El asesinato no resuelto del Fiscal Alberto Nisman, un día antes de su presentación ante el Congreso

Nacional para acusar a la Presidenta de la Argentina por el acuerdo con Irán, por el encubrimiento del ataque terrorista contra la Asociación Mutual Israelita Argentina que dejó 85 muertos y 151 heridos.

Sus guardaespaldas habían desaparecido misteriosamente horas antes del asesinato; las cámaras del edificio esa noche no funcionaron.

La tarde anterior, un incendio en la Casa Rosada generó un cortocircuito que arruinó los discos donde se archivaban los registros de 130,000 visitas a la sede del gobierno argentino desde cuatro años atrás. El incendio se ocultó; no se informó a los medios ni a la justicia como indican los protocolos. Interesantemente, el fuego fue selectivo ya que solo afectó los registros de visitas al Ejecutivo.

Dos meses después y tras una denuncia del periódico argentino Clarín, el máximo funcionario a cargo del episodio debió admitir el hecho, pero mintió dos veces.

Este funcionario, muy cercano a la presidente, le indicó a la compañía japonesa, manejada en la Argentina por un amigo de él, que no recupere los registros de visitas que habían desaparecido en los discos dañados.

Extraños procedimientos pocas horas antes de que el Fiscal Nisman apareciera muerto con un tiro en la cabeza.

Otro caso llamativo es el asesinato de Luis Donaldo Colosio, excandidato a la presidencia de México.

Mario Aburto Martínez, un joven de 23 años que trabajaba en una maquiladora, fue acusado y encarcelado.

Él asegura que fue golpeado por policías que le dijeron que tenía que declarar que pertenecía a un grupo político armado, le dieron a beber un líquido que lo dejó inconsciente y lo torturaron. También le dijeron que el presidente quería hablar con él y darle lo que quisiera si él, Aburto, declaraba que había sido pagado por un partido político.

Hallamos también el caso del empresario colombiano Alex Saab, convertido en uno de los testaferros del presidente venezolano. Una relación dedicada a blanquear centenares de millones de dólares robados al pueblo venezolano.

El caso de Francisco Flores, expresidente de El Salvador, por malversación de fondos. Llegó al poder prometiendo enfrentar la corrupción.

El terremoto del 2001 en ese país, con más de mil muertos y ocho mil heridos, incluyendo pérdidas de mil quinientos millones de dólares, provocó gran solidaridad de la comunidad internacional. Una donación de quince millones de Taiwán fue desviada a una cuenta personal de él y a otra de su partido político.

Debo señalar que la corrupción no es solo un problema de los países en vías de desarrollo; en mayor o menor medida podemos encontrarla en casi todos los países del mundo.

Banqueros occidentales son facilitadores para que cleptócratas operen en algunos de los centros financieros mundiales moviendo enormes sumas de dinero. Agentes financieros se han convertido en expertos en blanquear fortunas en forma secreta, y la turbulencia de la democracia ha provocado enorme pobreza en muchos países.

Estos ejemplos y centenares más nos llaman la atención por su magnitud. Sin embargo, permitimos una cultura de corrupción generalizada como algo normal.

Lo que más me preocupa no es la corrupción en sí misma. Esto ha existido siempre. Lo preocupante es que los cristianos, y esto está claro en las encuestas realizadas, no están de acuerdo con la corrupción, pero no hacen nada para denunciarla, sacarla a la luz, señalarla públicamente.

¿No era lo que hacían los profetas?

Claro que a algunos les costó la vida, pero cumplieron su misión.

"¡Hermano Alberto!", me dirán algunos, "nuestra misión es ganar almas para Cristo".

Sí, esa es parte de nuestra misión. Pero cuando Dios colocó al ser humano en el huerto, lo puso allí para que lo administrara. Nosotros hemos evadido esa responsabilidad. Tenemos que recuperarla. Sojuzgar la tierra, cuidar la creación, hacer de este mundo un lugar mejor para vivir, ser la "conciencia moral" de nuestras naciones.

Uno de mis héroes favoritos es William Wilberforce. Vivió entre 1759 y 1833.

Cuando se convirtió a Cristo lo primero que le llamó la atención fue la horrible esclavitud en el Imperio Británico.

El dijo: "Viviré y lucharé para abolir la esclavitud". Hoy nos reiríamos en su cara. Se me ocurre comparar el negocio de la esclavitud con el negocio del narcotráfico de hoy. Mucho poder político. Mucho poder económico. Pero, ¿serán más fuertes los impíos que los hijos de Dios?

La vida no fue fácil para Wilberforce. Quedó huérfano muy temprano. Su salud era muy precaria, pero su determinación le llevó a convertirse en el miembro más joven en el Parlamento Británico. Y comenzó su carrera. Le tomó 40 años.

En repetidas ocasiones intentaron matarlo; varias veces quiso abandonar la lucha, pero tres días antes de morir, el Parlamento Británico votó por unanimidad abolir para siempre la esclavitud. Y esto sucedió solamente porque un muchacho, sin buena salud física y sin grandes posibilidades humanas no solamente estuvo en contra de la corrupción sino que también la enfrentó y la derrotó.

Esa clase de mujeres y hombres necesitamos hoy.

De acuerdo con el Análisis Mundial de Lausana de mayo del 2019, hoy hay iniciativas alentadoras.

En India algunos empresarios se enfrentaron a líderes de iglesias involucradas en grandes actos de corrupción desafiándolos a cambiar. Los líderes de las principales denominaciones fueron invitados a una conferencia sobre "Verdad y Honestidad".

Quedaron consternados cuando escucharon decir al orador: "Estimados presidentes, obispos, arzobispos, patriarcas, ¡el mal está en ustedes!

¡Ustedes están involucrados en corrupción, soborno, enriquecimiento personal, maldad!". El Espíritu Santo tocó a varios de los presentes y hubo confesiones públicas y correcciones radicales. Arpit Waghmare dirige Operation Nehemiah, el movimiento que surgió de esta conferencia.

En Alemania, Thomas Schirrmacher, un destacado teólogo, y su hijo David, un joven empresario investigaron la corrupción en el gobierno, empresas, iglesias y personas implicadas. Quedaron consternados por lo que descubrieron a tal punto que publicaron sus hallazgos en un libro.

En Tanzania, un estudiante de teología escogió para su disertación el tema "La corrupción se burla de la justicia". Alfred Sebahene investigó a la Iglesia Anglicana en su propio país. Gershon Mwiti también trata la corrupción en África y cómo la dignidad con integridad puede reemplazar a la corrupción.

El Desafío Miqueas, iniciado hace unos años por un grupo de personas, trata la corrupción y cómo introducir transparencia y honestidad. Otras organizaciones similares como Transparency International, Faith and Public Integrity Network y Fides, equipan a líderes e iglesias cristianas en la lucha contra la corrupción.

El obispo Hwa Yung (Malasia), durante muchos años miembro del Comité de Lausana, publicó un libro,

Soborno y corrupción: Reflexiones bíblicas y casos de estudio para el mercado en Asia [Bribery and Corruption: Biblical Reflections and Case Studies for the Marketplace in Asia], e invitó a otros líderes asiáticos a escribir una respuesta y presentar casos de estudio de sus propios países.

El profesorado del Seminario Teológico de Dallas desarrolló una guía de estudio sobre integridad: *Examinar cómo vivo* [Examining How I Live]. Este libro puede ser utilizado por cualquier grupo de académicos, pastores, estudiantes o laicos que deseen examinar sus propias vidas.

Los líderes del Tercer Congreso de Lausana para la Evangelización Mundial, celebrado en Ciudad del Cabo en 2010, reconocieron la necesidad de prestar especial atención al tema de la corrupción y la integridad. Con este fin, Chris Wright habló sobre llamar a la Iglesia de Cristo a volver a la humildad, integridad y sencillez (*Calling the Church of Christ Back to Humility, Integrity, and Simplicity*), y el Capítulo IIE de El Compromiso de Ciudad del Cabo trata el tema. También se ha creado una red mundial sobre "Integridad y anticorrupción". Este es un esfuerzo conjunto de la Alianza Evangélica Mundial (AEM) y Lausana, dirigido por Efraim Tendero (Filipinas) y Manfred Kohl (Canadá). La membresía está abierta a cualquier persona interesada en este importante tema.

Nosotros, como seguidores de Cristo, no debemos simplemente aceptar la realidad de la corrupción en el mundo. Debemos involucrarnos. Hemos sido llamados a ser la luz del mundo. *"Vosotros sois la luz del mundo; una ciudad asentada sobre un monte no se puede esconder"* (Mateo 5:14). Hay muchas maneras en que podemos combatir la corrupción. Pero hay otro aspecto de esta cuestión: la necesidad de examinarnos a nosotros mismos.

"Antes bien renunciamos a lo oculto y vergonzoso, no andando con astucia, ni adulterando la palabra de Dios, sino por la manifestación de la verdad recomendándonos a toda conciencia humana delante de Dios".

—2 CORINTIOS 4:2

MIS REFLEXIONES

_____

_____

_____

_____

_____

_____

_____

"*LAS MASAS HUMANAS MÁS*

PELIGROSAS SON AQUELLAS

EN CUYAS VENAS HA SIDO

INYECTADO EL VENENO DEL

MIEDO... EL MIEDO AL CAMBIO"

−OCTAVIO PAZ

POETA, ESCRITOR, ENSAYISTA Y DIPLOMÁTICO MEXICANO.
PREMIO NÓBEL DE LITERATURA, 1990

CAPÍTULO III

CUENTAS CLARAS

Los bancos son responsables de asegurarse que las fuentes de los fondos de sus clientes con conexiones políticas sean legítimas.

Durante décadas hemos creído que la Banca Suiza, por ejemplo, era más confiable que muchas otras. Nos equivocamos.

Ciento sesenta y tres periodistas de cuarenta y ocho medios de comunicación encabezados por el periódico alemán *Süddeutsche Zeitung* y el centro de investigación *Organized Crime and Corruption Reporting Project* descubrieron que el Credit Suisse, el segundo banco más importante de Suiza, sostuvo cuentas por $8,000 millones de dólares relacionadas a políticos corruptos, entre ellos algunos de la élite política venezolana y argentina.

Es aterrador lo que esta investigación sacó a la luz, oculto detrás del secreto bancario suizo.

Había "clientes especiales" que no tuvieron ni siquiera que viajar a Suiza, sus pasaportes no registraron visita alguna a la Confederación Helvética.

Los ejecutivos de cuentas los contactaban en hoteles de lujo, en un restaurante de zonas exclusivas de Caracas, Buenos Aires o algún punto de alguna gira internacional que realizaban por temas oficiales y firmaban los documentos con toda la discreción requerida.

El banco brinda bonos anuales para estos "gerentes" por el éxito de estas transacciones que inevitablemente incluyen "mirar a otro lado", sin tomar en cuenta lo corrupto de la inversión.

Por ejemplo, el lavado del dinero procedente de Venezuela provocó la miseria de ese pueblo y el éxodo de seis millones de venezolanos; el robo y la corrupción generalizada de gobernantes argentinos provocó una inflación galopante que llevó a la mitad del país a vivir debajo del nivel de pobreza.

"En teoría", el secreto bancario suizo se levantó hace algunos años, pero la corrupción siempre encuentra caminos.

¿Cómo puede aceptarse un negocio con políticos o gobernantes a costa del hambre de millones de seres humanos? ¿Cómo puede tolerarse un negocio manchado por la sangre de los asesinados por narcotraficantes?

Entre el año 2000 y el 2016 esas cuentas especiales tuvieron fondos por más de $100.000 millones de dólares. Según el periódico argentino *La Nación,* los titulares de esas cuentas representan ciento sesenta países, con Venezuela como el país con mayor cantidad de cuentas.

Algunos gobernantes que se promueven como defensores de los pobres, no solo tienen mandatos que se han convertido en grandes fábricas de pobres sino que ellos mismos viven a costa de los que menos tienen y los manipulan para sus propios fines.

"El que oprime al pobre afrenta a su Hacedor; mas el que tiene misericordia del pobre, lo honra" (Proverbios 14:31).

Pero, la corrupción financiera ¿será solo un problema fuera de la Iglesia?

Volviendo al Análisis Mundial de Lausana de mayo del 2019[1], allí leemos sobre corrupción en organizaciones cristianas: "Cuando oímos hablar de corrupción y escándalos dentro de denominaciones cristianas, organizaciones paraeclesiásticas o incluso iglesias locales, rápidamente miramos más allá de los titulares en busca de nombres conocidos".

Aún así, el efecto en nosotros tiende a ser mínimo. Martín Allaby, una figura destacada en la iniciativa Desafío Miqueas, escribe: *"Se estima que el dinero robado de lo que los cristianos ofrendan a iglesias, organizaciones cristianas y seculares de todo el mundo sería de $50.000 millones de dólares al año. Si bien todavía percibimos que esta terrible situación es mala, consideramos que está fuera de nuestro control. ¡No hacemos nada y la aceptamos!".*

Allaby incluye a todas las confesiones cristianas. Es justo afirmar que una porción muy grande de movimientos cristianos son honestos y transparentes.

---

1. Volúmen 8, número 3.

El mismo documento del Comité de Lausana nos exhorta a tratar con "los ídolos del poder y el orgullo, los ídolos de la popularidad y el éxito y los ídolos de la riqueza y la codicia".

¿Cómo enfrentar esta alarmante situación?

¡Es posible! Quizás no es fácil por el empecinamiento obsesivo de líderes políticos y religiosos a continuar con su estilo controlador. Lo vimos en Vladimir Putin, el matón ruso que, en conferencias televisadas con sus cercanos ministros, al que opinara distinto, lo trató como si él fuera el dueño de Rusia.

Putin bloqueó Facebook y Twitter. Firmó una ley que establece duras penas de prisión de hasta quince años a cualquier persona que publique "noticias falsas" sobre las fuerzas armadas, esto es, noticias que no lo favorecen. Todo dictador, como Díaz Canel, Maduro y Ortega no soportan la crítica. Quieren que todos hablen bien de ellos. No soportan la veracidad.

Y esto no es un fenómeno que se dé solo en políticos, muchos líderes religiosos también actúan de la misma manera.

Tenemos que fomentar, mejor dicho, debemos exigir de cada líder una clara rendición de cuentas.

De ninguna manera quiero ponerme como ejemplo; solamente permíteme contarte cómo lo hacemos nosotros.

Nuestra organización, Alberto Mottesi Evangelistic Association lleva mi nombre, pero yo no firmo cheques.

Todo gasto debe ser aprobado cuidadosamente y tener el correspondiente comprobante.

Los salarios de todos los que trabajamos en este ministerio son modestos. No recibimos ofrendas personales.

Nuestros libros contables están abiertos. Somos continuamente auditados por empresas externas. Desde hace varios años somos miembros de ECFA, Evangelical Council for Financial Accountability, que vela por nuestra transparencia financiera, el comportamiento de nuestra Junta de Directores y nuestra ética en cómo conseguimos y usamos los recursos económicos.

A veces en alguna congregación alguien nos da la mano y coloca en la nuestra un billete. Aman nuestro ministerio y quieren apoyarlo. Si no logramos conseguir su nombre, de igual manera ese dinero entra a la cuenta del ministerio y extendemos un recibo a nombre anónimo para que se archive como registro.

Sugerimos fuertemente que cada líder rinda cuentas claras. Debemos tener transparencia hasta en el menor detalle si queremos ser líderes de un pueblo que pone su confianza en nosotros.

Los líderes cristianos jamás podríamos señalar los pecados de la sociedad con autoridad si nuestras manos no están limpias. Hemos visto con horror el abuso infantil cometido por sacerdotes católicos. ¿Nos horrorizan también los pecados del mundo protestante? La doble vida de algunos, la hambruna de poder político y económico, nuestras divisiones y tantas cosas más debieran avergonzarnos.

Banqueros, gobernantes, empresarios, líderes sindicales, obreros cristianos, todos debemos estar abiertos a ser escrutados; actuar en lo secreto tal como se nos conoce públicamente.

El modelo siempre es Jesús.

En Mateo 6:19 dice: *"No os hagáis tesoros en la tierra".* Una traducción literal del texto diría *"no atesoréis para vosotros los tesoros sobre la tierra".* La combinación "atesorar tesoros" deja al descubierto el modelo de acaparamiento, avaricia y tacañería como fruto de la soberbia.

La otra cara de la moneda dice: *"sino haceos tesoros en el cielo"* (v.20). Los autores del libro *La Ética del Reino,* Glen H. Stassen y David P. Gushee, lo interpretan así: "La idea es que una vida de generosidad económica cambia los tesoros terrenales por aprobación divina en esta vida y en la siguiente; un intercambio de tesoros que realmente vale la pena".

En otras palabras, las posesiones terrenales no son malas dependiendo de la actitud de nuestro corazón. La gran diferencia la hace el cómo las conseguimos y cómo invertimos los tesoros terrenales en el Reino de la justicia y el amor de Dios.

La característica sobresaliente de un líder debe ser su ética, su comportamiento. No es su carisma, es su carácter; no son sus palabras, es su manera de vivir. La Biblia lo dice claramente: *"Por sus frutos los conoceréis"* (Mateo 7:20).

Por ejemplo, la esposa de un pastor, al referirse al gobierno de su país, dijo: "Roban pero hacen". ¿Con ese tipo de principios discipulamos a la gente? No es de extrañar entonces la corrupción generalizada en nuestros países y la debilidad de algunas congregaciones.

A través de toda la historia de la humanidad, la ambición, el robo, la codicia y el apetito de poder han sido parte de la vida humana. Los cristianos, ¿no deberíamos hacer la diferencia?

Líderes que rindan cuentas, que no evitan ser escrutados; manos limpias, corazones solícitos con su prójimo y modestia en nuestras actitudes pueden ser el antídoto para la epidemia de avaros, ladrones y abusadores que un día tendrán que presentarse delante Dios.

¿Qué tal si tú y yo somos parte del cambio?

"No os hagáis tesoros en la tierra, donde la polilla y el orín corrompen, y donde ladrones minan y hurtan; sino haceos tesoros en el cielo, donde ni la polilla ni el orín corrompen, y donde ladrones no minan ni hurtan. Porque donde esté vuestro tesoro, allí estará también vuestro corazón.

Ninguno puede servir a dos señores; porque o aborrecerá al uno y amará al otro, o estimará al uno y menospreciará al otro. No podéis servir a Dios y a las riquezas".

—MATEO 6:19-21, 24

MIS REFLEXIONES

"*EN UN MUNDO LLENO DE MENTIRAS,*

LA BOCA QUE SE ATREVE A DECIR

VERDADES SE CONVIERTE EN

EL ARMA MÁS PERSEGUIDA".

–ROBIN WILLIAMS

COMEDIANTE ESTADOUNIDENSE Y ACTOR.
GANADOR DE OSCAR, CINCO GLOBOS DE ORO, UN PREMIO
DEL SINDICATO DE ACTORES, DOS PREMIOS EMMY Y
TRES PREMIOS GRAMMY

CAPÍTULO IV

UNA CIUDAD SOBRE UNA COLINA

Un Presidente colombiano resumió el entusiasmo que reinaba en su región en 2011 de la siguiente manera: "*Esta puede y debe ser la década de América Latina*".

Pero la región terminó la misma década con un creciente clima de desilusión y hasta con protestas y estallidos sociales en algunos países.

De acuerdo con La Comisión Económica para América Latina (CEPAL) de las Naciones Unidas, la década actual será una época aún peor para América Latina. Diferentes indicadores colocan a la región a la zaga de las otras áreas del mundo, tanto en economía, educación, tecnología, salud y lo que es alarmante, en cuanto a su compromiso con los valores democráticos.

De acuerdo con el informe de febrero 2022 de Freedom House, solo 21 países, ninguno de América Latina, avanzaron un poquito en su calidad democrática. La gran mayoría sufrió un retroceso.

El Director de Freedom House, Michael J. Abramowitz expresó que los países con mayor calidad de libertad y democracia en general, son: Suecia, Noruega y Finlandia. Los tres con tradición protestante.

La autocracia, el populismo, la corrupción del sistema judicial, predominarán en muchos países.

Alguien dijo que en el 2010 parecía que América Latina se movía con motor de Fórmula 1, pero en el 2020 se empezó a mover a velocidad de monopatín.

Los grotescos gobiernos como los de Venezuela, Cuba y Nicaragua. Bueno, debo ser más claro. No debo referirme a ellos como grotescos sino como criminales.

Grotescos porque hablan de su constitución, y la quebrantan continuamente, pero en realidad son criminales. Criminales por miles de ejecuciones extrajudiciales, criminales por miles de presos políticos, criminales por cerrar centenares de medios de comunicación críticos. ¡Cobardes, por no tener la fuerza de las ideas recurren a la fuerza de las armas!

Criminales, porque mantienen con hambre a millones de ciudadanos mientras roban descaradamente. Las familias Castro de Cuba, y Maduro de Venezuela, se encuentran entre las más ricas del mundo.

¿Entonces qué? ¿Gobiernos de izquierda o gobiernos de derecha? Yo diría que lo que necesitamos son gobiernos que respeten el estado de derecho.

Que respeten la separación de poderes; que no manipulen al Sistema Judicial. Que permitan ser escrutados por la prensa.

"La misión inalterable del periodismo es ser instrumento para que las instituciones y el poder rindan cuentas de sus actos a los ciudadanos", dijo Martin "Marty" Baron, editor de The Washington Post.

¡Cómo hemos sufrido en el continente! Desde aquellos opresores gobiernos militares hasta los populistas de hoy, sean de izquierda o de derecha, el ciudadano común sigue sin esperanza.

Una de las sorpresas para mí fue la reciente elección presidencial en Chile. Los últimos gobiernos, tanto los de centro izquierda como los de centro derecha bajaron el 40% de pobreza del país al 10%. Algunos analistas dicen desde ya hace varios años, que Chile está a punto de ingresar al primer mundo. Ha sido número uno en vacunación y cuidado sanitario junto a Israel, en la lucha contra el COVID-19.

Pero en la reciente elección, ninguno de los partidos tradicionales fue a la segunda vuelta.

La elección fue entre dos extremos y ganó el de la izquierda, apoyado por el partido comunista ¡con el historial mundial del comunismo!

Sin embargo, quiero darle crédito a este nuevo gobierno que llega como una coalición de partidos.

Y como dicen ellos, con la determinación de respetar el estado de derecho y los derechos humanos.

Según afirman, sus modelos son algunos países europeos gobernados por la izquierda y a la vez muy democráticos. Han sido críticos de las dictaduras payasescas de Venezuela y Nicaragua, lo que me tranquiliza un poco. El tiempo lo dirá.

Otro caso difícil de entender para mí fue el de Perú. La macroeconomía mejor de América Latina y en la elección presidencial decidieron por un comunista. En su primer gabinete incluyó a algunos ligados al antiguo sangriento Sendero Luminoso, de clara tendencia maoísta.

Los dos, el de Chile y el de Perú, a las pocas semanas de asumir el gobierno experimentaron una fuerte caída en las encuestas de aprobación. Empezaron a descubrir la diferencia de cuando protestaban en las calles a la responsabilidad de gobernar una nación.

¿Qué pasó? ¿Es que fracasó la economía de libre mercado? No. Es realmente el sistema que ha hecho prósperas a las naciones más desarrolladas del orbe.

Sucedió lo de siempre. Prevaleció la voracidad de los más fuertes y la distribución de los bienes no fue la mejor.

Después de escribir estos pensamientos, en una charla con uno de los profesores de nuestra Universidad, el Dr. Gabriel Flores Ciani, un peruano especialista en neurociencia, autor de seis libros sobre el tema, compartió su teoría que me puso a reflexionar.

Él dirige una clínica de problemas mentales en Buenos Aires y también va a los barrios marginados a ayudar a la gente muy pobre.

Me dijo: "Fue la masiva conversión a Cristo de muchos de la clase obrera en los años setenta y ochenta que detuvo el avance del marxismo en América Latina. Los desposeídos materialmente bajaban a la ciudad, a las mega-iglesias. Allí dieron sus diezmos y se sentaron cada semana a ver la gran reunión. Allí se les dijo que eran "princesas y reyes". Pasaron cuarenta años, y todavía, cuando llueve, las goteras del techo destruido de sus casitas siguen mojando sus cabezas. Aún no tienen para comprarle la medicina a sus hijos.

La gente de esas villas de emergencia (favelas, áreas marginales) hoy escuchan a los del Partido Comunista que les visitan con regularidad. La Iglesia 'no tiene tiempo' para esos sectores y el espacio lo están llenando los de la extrema izquierda"

El ser humano está hambriento de mejor educación, mejor cuidado médico, mejor atención a la vejez.

Déjame darte mi visión de país...

Me encantan los países donde el gobierno es pequeño; donde promueven la creatividad y el desarrollo personal. Donde hay total transparencia en el uso de fondos públicos y los líderes son cartas abiertas.

Donde el Poder Judicial es totalmente independiente.

Donde cada año hay muchas patentes nuevas, indicando que las ideas y la creatividad están en ebullición.

Donde el emprendimiento humano se respeta, se alienta, se promueve y se reconoce.

Donde los que gobiernan provienen del mundo profesional y luego de su servicio a su país, regresan al mundo profesional. No viven de la política.

Donde los empresarios tienen conciencia social.

Donde se crean continuamente fuentes de trabajo y no se abandona a ningún ser humano.

Y creo también en la necesidad de que hijos de Dios, de todas las confesiones cristianas, incursionen en el mundo difícil de la política y lo hagan como embajadores del Reino de Dios.

No estoy diciendo que entren dando "bibliazos" ¡No!... Recuerdo a un querido pastor que en su país llegó a ser senador y en las reuniones del Congreso de su nación se paraba y echaba fuera demonios. ¡No! Necesitamos entender la cultura, el lenguaje del mundo de la política.

No estoy diciendo que la Iglesia como tal se involucre en política. Me gustan las congregaciones donde el domingo, en la misma banca, se sientan a adorar como hermanos la dueña de una casa y la señora que la ayuda con la limpieza, el de la derecha política y el que está más hacia la izquierda. No puede haber en el mundo un espacio de unidad mayor que la Iglesia de Jesucristo.

En nuestra Universidad creamos una Maestría en Gobierno y Servicio Público, tratando de poner nuestro granito de arena en este momento de cambios en la vida de la Iglesia y del mundo.

El Foro de Sao Pablo y el Grupo de Puebla crearon agendas de la extrema izquierda para la conquista de

América Latina. Y no están apurados. Se dieron cuenta de que solo necesitan tiempo mientras otros no actúan.

Un solo ejemplo. En Chile decidieron que querían una nueva Constitución.

Las Constituciones son pactos nacionales, hechos solemnemente ante Dios, que unen y organizan las naciones. Ignorando las doctrinas bíblicas redescubiertas por la Reforma, nuestras repúblicas hacen y deshacen constituciones; ya van más de 200 en América Latina, sin entender que son pactos con Dios como testigo, enmendables pero irrevocables.

Chile está en el proceso de reescribirla; y entre las propuestas incluyeron la de quitar a la familia como célula principal de la nación. Al momento de escribir este libro, solo existe como propuesta.

El marxismo, pretendiendo que el Estado controle todo, intenta remover del centro de nuestras naciones lo más importante: la familia.

¿Dónde están los constituyentes cristianos?

¿Dónde están los juristas con la Constitución en la mano y la Biblia en el corazón y la mente?

El Expresidente de Costa Rica, Don Oscar Arias, Decano de los Primeros Mandatarios del Continente y Premio Nobel de la Paz, lo explica y afirma el 18 de abril del 2009 cuando, hablando a los presidentes en la Cumbre de las Américas celebrada en Trinidad y Tobago, dice lo siguiente: *"Leyendo la historia de América Latina, comparada con la historia de Estados Unidos, uno comprende que Latinoamérica no tuvo un John Winthrop español, ni portugués, que viniera con la Biblia en su mano dispuesto a construir 'una ciudad sobre una colina', 'una ciudad que brillara', como fue la pretensión de los peregrinos que llegaron a Estados Unidos".*

La mayoría de los historiadores indican que muchos de los países prósperos, se edificaron sobre los principios de la Reforma; los principios de la Biblia, los principios de la Palabra de Dios.

Si queremos naciones prósperas, tendremos que edificarlas como Dios manda.

Continuamos los vaivenes. Hemos tenido épocas cuando las naciones se movieron hacia la derecha y en otras hacia la izquierda. Es lo que hoy está sucediendo. Muchos países están tornando hacia gobiernos de izquierda.

Es que somos muy olvidadizos y encima ignorantes de la historia. No conozco naciones que, desarrollando estados fuertes, controladores, asistencialistas, hayan prosperado. Los países más prósperos del orbe tienen estados pequeños, son profundamente respetuosos del estado de derecho, tienen un Poder Judicial independiente, fomentan la iniciativa privada.

Claro que hay muchas cosas que corregir. Por ejemplo, la voracidad de los grandes empresarios. La mejor distribución de las riquezas hará posibles países con paz social.

Y ¿por qué en este libro afirmamos la necesidad del involucramiento de hijos de Dios en la política?

Es que Dios en Su Palabra enseña sobre cada detalle de la vida. Por ejemplo, el 25% del libro de Números, habla sobre gobierno, ¡la cuarta parte de un libro de la Biblia! Y en otros podemos conocer la mente de Dios sobre las artes, la economía, la justicia, etc.

Necesitamos hijos de Dios que internalicen los principios de Dios y los transfieran a sus naciones.

No es a Marx lo que necesitan nuestras naciones, ¡es la cosmovisión bíblica para cada esfera de la vida! Y son los hijos de la Iglesia los que pueden transferirla.

Hablando de naciones como Dios manda, déjame contarte algo sobre Finlandia. Creo que leí esta historia en el periódico La Nación de Argentina.

Hace unos años, la revista Selecciones hizo la prueba de "la billetera perdida": sus reporteros "extraviaron" 192 billeteras en ciudades de todo el mundo.

Cada billetera tenía US $50 con información de contacto, fotos familiares y tarjetas de visitas.

De las 12 billeteras perdidas en la capital finlandesa, 11 fueron devueltas a sus propietarios, lo que hizo de Helsinki la ciudad más "honesta" de las que fueron evaluadas.

Urpu Strellman, un agente literario de Helsinki dice: *"Se creó una imagen, un estereotipo de los finlandeses como personas austeras, modestas, trabajadoras, que obedecen a Dios y que atraviesan tiempos difíciles, asumiendo lo que sea que el destino les depare".*

"Estas son características que se relacionan con la honestidad muy de cerca", añade.

La palabra finlandesa "sisu" describe este concepto de valor, adaptación y resistencia que se incorporó a la identidad nacional y a las características culturales. Además, una vez que Finlandia se separó del reino sueco, pudo establecer una iglesia evangélica luterana y una ética protestante.

En el libro "Sobre el legado del luteranismo en Finlandia", Klaus Helkama y Anneli Portman examinan las raíces protestantes del valor finlandés de la honestidad.

Ambos argumentan que proviene de las actividades misioneras protestantes que se centraron en la educación de masas y la impresión de libros a gran escala, lo que a su vez trajo consigo la autorreflexión y condujo a que se extendiera la honestidad.

La Iglesia luterana en Finlandia es una de las más grandes del mundo. Y esas cualidades ahora están profundamente arraigadas en la cultura finlandesa, dice Kananen.

"La veracidad y la honestidad son muy valoradas y respetadas", dice. Y cita el ejemplo del escándalo que golpeó a los esquiadores finlandeses cuando Finlandia fue sede del Campeonato de Esquí Nórdico en 2001.

Seis atletas finlandeses fueron descalificados por dopaje. El asunto fue cubierto por la prensa nacional como una cuestión de vergüenza pública, y hubo una sensación de bochorno colectivo en el país.

"En Finlandia, el estado es un amigo, no un enemigo", dijo Kananen.

Se percibe que el Estado actúa por el bien colectivo, por lo que los funcionarios públicos se desempeñan en interés común de todos. Existe una gran confianza en los conciudadanos y los titulares de cargos públicos, incluida la policía.

"Vosotros, pues, oraréis así: Padre nuestro que estás en los cielos, santificado sea tu nombre. Venga tu reino. Hágase tu voluntad, como en el cielo, así también en la tierra. El pan nuestro de cada día, dánoslo hoy. Y perdónanos nuestras deudas, como también nosotros perdonamos a nuestros deudores. Y no nos metas en tentación, mas líbranos del mal; porque tuyo es el reino, y el poder, y la gloria, por todos los siglos. Amén".

MIS REFLEXIONES

"PARA QUE TRIUNFE EL MAL,

SOLO ES NECESARIO QUE LOS

BUENOS NO HAGAN NADA".

EDMUND BURKE

ESCRITOR, FILÓSOFO Y POLÍTICO
CONSIDERADO EL PADRE DEL LIBERALISMO
CONSERVADOR BRITÁNICO

CAPÍTULO V

EL MAYOR PROBLEMA
PARA DIOS

Parecía una película, de esas de las más violentas. Era una muchacha de 13 o 14 años pegándole en la cabeza a otra jovencita con una furia asombrosa.

La escena en el noticiero de televisión se prolongó bastante. La cabeza de la jovencita quedó allí sobre el pupitre, inerte.

Lo incomprensible para mí es que el resto de las alumnas solo miraron. Nadie intervino para detener la agresión despiadada.

Instantáneamente vi a la Iglesia representada en las alumnas de aquella escuela. La Iglesia que no interviene frente al destrozo que el infierno provoca en el mundo.

Martin Luther King dijo: "Una nación se sentencia a sí misma cuando sus gobernantes legalizan lo malo y prohíben lo bueno, y cuando la Iglesia cobardemente se vuelve cómplice con su silencio".

Cuando el senador argentino Esteban Bullrich dio su discurso de despedida de la Cámara a finales del 2021, compartió una frase que se acuñó en mi corazón. Tuvo que abandonar su tarea como senador nacional por causa de una enfermedad degenerativa. Entre otras cosas dijo: "No hay hombres imprescindibles, hay actitudes imprescindibles".

"Actitudes". ¡Son las actitudes que hacen diferencias gigantescas! Encontramos actrices y actores de Hollywood con 8 o 9 divorcios y nuevos matrimonios que reflejan lo que creen en cuanto a la familia. También comediantes que habiendo hecho reír a millones terminan sus vidas en suicidio mostrando su vacío existencial o políticos y gobernantes que descaradamente mienten en la cara de los ciudadanos.

Pero en medio de muchos malos ejemplos, también hay algunos muy buenos.

No estoy diciendo perfectos; los seres humanos tenemos muchos defectos, pero encuentro a varios con actitudes que debiéramos imitar. Por ejemplo, Nelson Mandela. Él pasó décadas en la cárcel por causa del Apartheid. Al salir, se convirtió en Presidente de Sudáfrica.

Mandela dijo: "En la asunción de mi gobierno, el invitado de honor fue mi carcelero blanco, debido a que yo había perdonado toda injuria y debía mostrarle el camino a todo mi país".

Se cuenta que en una ocasión Mandela junto a sus colaboradores se detuvieron para almorzar en un restaurante, y al ver a un hombre que comía solo, le dijo a uno de sus ayudantes: "Ve e invita a ese hombre solitario a que coma con nosotros".

Después de que el hombre solitario comiera rápidamente con ellos y se fuera, el asistente le preguntó a Mandela por qué aquel hombre había estado tan nervioso. "Él trabajaba en la cárcel donde yo estuve. Era uno de mis torturadores; muchas veces orinó sobre mi cabeza. Probablemente esperaba de mí una actitud de venganza; no estaba preparado para recibir amor", respondió.

Esta actitud contrasta, y mucho, con la de algunos políticos y líderes religiosos llenos de soberbia.

La humildad y el perdón son cualidades algo escasas hoy, pero más necesarias que nunca.

Angela Merkel pasará a la historia como una de las mujeres más influyentes de Europa y del mundo.

Al retirarse, después de llevar a Alemania a convertirse en el país más poderoso de Europa, le preguntaron por qué seguía viviendo en un pequeño departamento. Ella respondió: "Yo soy empleada del pueblo. Lo único que quiero para mi jubilación es un automóvil para viajar por mi país".

Cuando le llamaron la atención por vestir siempre con sus sencillos pantalones y chaquetas, ella dijo: "Yo no soy modelo; soy servidora pública".

¡Qué ejemplo extraordinario! Esa actitud humilde deberíamos imitar. ¡Cuántos gobernantes y líderes religiosos viven ostentosamente! Es un cachetazo al pueblo que lucha con sus desesperanzas.

Me gustó mucho el Senador John McCain. Héroe de guerra, prisionero de los vietnamitas del norte durante varios años, brilló en el Senado de los Estados Unidos como un conciliador inclinado siempre a decisiones bipartidistas.

Durante la campaña en la que se postuló para presidente de su país estuvo en un foro público transmitido por televisión. Diferentes personas le hacían preguntas o comentarios y él respondía. Recuerdo que una señora comenzó a hablar mal de su contendiente quien fuera más tarde el presidente Obama. McCain la interrumpió y le dijo: "Obama y yo tenemos ideas diferentes, pero él es un gran hombre, un buen esposo y un excelente padre. No hay ninguna duda sobre su integridad."

¡Qué grandeza!

Él pudo aprovechar la oportunidad para que su rival quedara embarrado, pero no. Su dignidad y respeto eran más grandes.

¡Cuántas grietas políticas se cerrarían con políticos así!

Siempre pensé en el Evangelio como "el Evangelio de las actitudes."

Algunos abren sus Biblias y encuentran milagros y más milagros. Y claro que hay milagros. Otros al abrir La Palabra encuentran amor y más amor. Y claro que hay amor.

Pero de forma sobresaliente, la Biblia nos enseña una forma de vivir, con actitudes que reflejen a Jesús: perdón, modestia, sencillez, respeto, integridad.

El evangelista Billy Graham, conocido entre tantas cosas por sus reuniones multitudinarias y sus libros, dijo: "Cuando hablamos de la integridad como un valor moral, significa que una persona es la misma en lo público que en lo privado. No hay ninguna discrepancia entre lo que dice y lo que hace, entre sus palabras y sus acciones".

El Dr. Chris Wright, hablando en el Tercer Congreso de Lausana en Ciudad del Cabo, dijo: "El testimonio abrumador de la Biblia es que el mayor problema para Dios en su misión redentora para el mundo es su propio pueblo.

Lo que más le duele, al parecer, no es solo el pecado del mundo, sino las faltas, la desobediencia y la rebelión de aquellos que Él ha redimido y llamado a ser su pueblo; su pueblo santo y distintivo".

Teresa de Calcuta, hablando en una de las jornadas del Desayuno Anual de Oración en Washington D.C. que incluyó a tres mil líderes, senadores, diputados, notables de la ciencia, las artes y el mundo económico, dijo: "Estados Unidos contaba con el prestigio de ser un país conocido por su generosidad hacia el mundo. Hoy esta gran nación se ha vuelto egoísta.

La prueba de este egoísmo la dan las leyes que permiten el aborto. Si aceptamos que una madre pueda matar a su propio hijo, ¿cómo podemos moral y legalmente señalar, criticar y castigar a la gente que mata a otra gente? Cualquier país que acepta el aborto, no enseña a su pueblo a amar. Le está enseñando que, con la violencia de un crimen silencioso, puede conseguir lo que desee". Y agregó: "Mucha gente está preocupada por los niños de la India, del África o de América Latina donde sin duda muchos mueren de hambre o por enfermedades que pudieron ser prevenidas.

Pero estas muertes están precedidas por la pobreza, no por maldad humana...

¿Por qué escandalizarnos por la muerte indiscriminada en Bosnia, cuando tantísimos niños son asesinados en clínicas, aunque estos crímenes no aparecen en televisión?".

Teresa de Calcuta terminó diciendo: "Toda madre embarazada que no quiera a su hijo, que me lo entregue. Estoy dispuesta a aceptar cualquier niño antes que sea abortado. Lo daré en adopción a un matrimonio que sepa amarlo y cuidarlo".

La noticia sobre el evento dijo: "La mayor parte de los presentes se levantaron y aplaudieron sin reservas. El presidente Clinton bebió agua y levantó los ojos a cualquier parte. Hilary Clinton, el Vicepresidente Gore y su esposa miraron sin expresión a Teresa de Calcuta. Ninguno de ellos aplaudió".

Teresa de Calcuta es un ejemplo de sencillez, amor al prójimo y una valentía extraordinaria al defender el derecho a la vida frente las narices de un gobierno proaborto. ¡Qué necesidad tenemos de imitarla, especialmente los que nos llamamos "siervos de Dios"!

¿Cuál será nuestra actitud? ¿Cuál será la actitud de la Iglesia? ¿Seguiremos en el área de confort, sin comprometernos con la justicia?

¿Seguiremos en silencio mientras la perversidad continúa conquistando espacios como la educación, la política, las artes y tantos más?

¿Qué haría Jesús en nuestro lugar? ¿Cómo actuarían los primeros discípulos?

Hoy tenemos una oportunidad sin igual.

Al principio de la pandemia me preguntaron si yo creía que era un juicio de Dios. "No", contesté. "Sí creo que es 'un trato divino' a las naciones, los gobernantes y especialmente a la Iglesia. Podría convertirse en un juicio divino si no reaccionamos".

Evidentemente estamos en un "momento bisagra", una época para volver a enfocarnos en la Palabra de Dios, recuperar el estilo profético de aquellos en el Antiguo Testamento que no quedaban cobardemente en silencio frente a las injusticias, la corrupción y la maldad.

Es mi deseo que podamos ser la voz de Dios en cada área de la vida, en cada momento y lugar. En esta época nueva para el cristianismo podemos recuperar el ministerio verdaderamente bíblico, profético y apostólico para el siglo XXI.

Si no lo hacemos, la Iglesia encerrada en ella misma se convertirá en un "club religioso" sin pertinencia ni influencia.

¿Cuál será tu actitud?

"No me elegisteis vosotros a mí, sino que yo os elegí a vosotros, y os he puesto para que vayáis y llevéis fruto, y vuestro fruto permanezca...".

—JUAN 15:16A

MIS REFLEXIONES

_____

_____

_____

_____

_____

_____

_____

_____

_____

_____

_____

_____

_____

_____

"*NO SON LOS GRANDES HOMBRES LOS QUE TRANSFORMAN EL MUNDO, SINO LOS DÉBILES Y PEQUEÑOS EN LAS MANOS DE UN DIOS GRANDE*".

-JAMES HUDSON TAYLOR

MISIONERO BAUTISTA INGLÉS EN CHINA Y FUNDADOR DE LA "MISIÓN AL INTERIOR DE CHINA" CONOCIDA AHORA COMO OMF INTERNACIONAL

CAPÍTULO VI

CÓMPLICES CON NUESTRO SILENCIO

Es interesante cómo los países se agrupan ideológicamente, muchas veces pisoteando los principios fundamentales con los que se comprometieron al suscribir tratados como el de Naciones Unidas o el de la Organización de Estados Americanos.

En la reciente asunción como presidente de Daniel Ortega en Nicaragua (por cierto, su cuarto mandato), estuvieron sus amigos Díaz Canel de Cuba, Maduro de Venezuela y Mohsen Rezaee de Irán.

Antes de las elecciones fraudulentas, Ortega envió a prisión a siete precandidatos a la presidencia y a 165 líderes opositores a los que se los está condenando en juicios espurios. Díaz Canel, un títere de los Castro, sigue juzgando a los que en julio del 2021 salieron pacíficamente a manifestarse condenándolos a diez, veinte y hasta treinta años de confinamiento. Solo por protestar pacíficamente. ¡Cobardes! Su fracaso como sistema es una de las grandes manchas del siglo.

Nicolás Maduro y su mentor Hugo Chávez quedarán en la historia como los que llevaron a uno de los países más ricos de América Latina a convertirse en uno de los más pobres del mundo. Será recordado por cerrar medios de comunicación críticos a su régimen, perseguir a otros dirigentes políticos y llevar miseria al pueblo venezolano. ¡Cobardes!

Mohsen Rezaee es el siniestro personaje iraní acusado de planificar el atentado contra la AMIA, Asociación Mutual Israelita Argentina, donde murieron 85 personas. Su hijo, quien públicamente dijo que su padre había estado detrás del atentado, poco después apareció degollado en un hotel.

¡Qué mafia! Y qué vergüenza la de aquellos gobernantes que no reaccionan, que miran hacia otro lado sin importarles que millones de seres humanos sufren sistemáticas violaciones a sus derechos humanos.

Tal vez algún lector esté diciendo: "Pero Don Alberto, ¿por qué se mete a hablar de estas cosas? Usted es predicador".

Otra vez vienen a mi mente las palabras de Martin Luther King: "Una nación se sentencia a sí misma cuando sus gobernantes legalizan lo malo y prohíben lo bueno, y cuando *la Iglesia cobardemente se vuelve cómplice con su silencio*".

Los profetas antiguos señalaban la injusticia de los poderosos. Es verdad que algunos morían en el intento, pero fueron fieles en cumplir la misión.

¿Por qué los cristianos estamos en silencio frente a la corrupción, las mentiras, el enriquecimiento ilícito de muchos políticos?

¿Será porque tememos que resalten también nuestros propios pecados? ¿Será que nuestras manos no están totalmente limpias?

Uno de mis héroes fue Dietrich Bonhoeffer, el pastor alemán que se atrevió a enfrentar a Adolfo Hitler y al nazismo. Su libro, *El precio de la gracia*, es una de las obras más extraordinarias que he leído.

Tras abandonar la monarquía, Alemania se convirtió en una democracia entregando el poder a Hitler en 1933. Él prometió revitalizar la economía. Cautivó a los cristianos prometiéndoles que serían el factor más importante para salvaguardar la herencia nacional y que el cristianismo sería la base moral del país.

Culpó a los judíos por los problemas de Alemania. En aquel mismo año abrió el primer campo de concentración.

Asesinó a seis millones de seres humanos.

Los cristianos fueron halagados, fueron cautivados. Cuando reaccionaron ya era tarde.

¿Será el mismo encantamiento que los astutos políticos latinoamericanos producen hoy en los cristianos? ¿Por qué algunos líderes cristianos reciben dádivas de los funcionarios públicos sin darse cuenta de que comprometen sus testimonios?

En Brasil, por ejemplo, ciertas instituciones cristianas han conseguido medios de comunicación en retribución por el apoyo a ciertos candidatos. Esto también se llama corrupción.

Los cristianos debemos abstenernos de recibir favores de los gobernantes para que, entre otras cosas, podamos señalar sus errores cuando sea necesario.

No es posible ejercer la tarea profética si hemos hecho pactos con los poderosos.

No es posible ser la conciencia moral de una nación si nuestras manos están manchadas por corrupción.

Recuerdo haber estado con el entonces Presidente de Guatemala, Serrano Elías, y al entrar a la residencia presidencial pude ver una larga fila de pastores que venían a pedirle favores al "presidente evangélico": materiales para construir templos, apoyo económico para sus proyectos, etc. Lo mismo que habían criticado a la Iglesia Católica.

En cierta ocasión estaba predicando en Quito, Ecuador. Simultáneamente me invitaron a predicar en un foro que trataría cómo provocar una ley que consiguiera que las iglesias evangélicas tengan el mismo apoyo económico que el Estado le concedía a la Iglesia Católica. En la plataforma había teólogos y líderes de muchas denominaciones. Me invitaron a ser parte de los expositores. Creo que los desilusioné.

Les dije que renunciaran a buscar cualquier favor del gobierno, que nuestra función no era recibir del país, sino darle nuestro apoyo.

"¡Para qué lo habremos invitado!" habrán pensado algunos.

Nuestra mentalidad de minoría, nuestra tendencia a echarle la culpa a otros por nuestros problemas y nuestras inseguridades juegan en nuestra contra. Nos coartan el ejercicio de nuestro ministerio profético.

Recuerdo el desayuno con las autoridades del Estado de Puebla, México.

Entre los doscientos asistentes, solo unos veinte tenían vínculo con la Iglesia Evangélica. La audiencia incluía a los presidentes de los tres partidos políticos más importantes del país, los dos banqueros más ricos y gente muy influyente.

Poco tiempo antes de comenzar llegó el jefe de protocolo de la gobernación para decirme: "El gobernador tiene solo treinta minutos; luego se tiene que retirar".

Como yo conozco al que nos llamó a hacer esos eventos, sabía que había un propósito más allá del protocolo.

El gobernador Mario Marín, durante esas semanas, era el centro de las noticias por su presunta relación con un corruptor de menores. Había llamadas telefónicas grabadas. Las pruebas de corrupción parecían muy evidentes. También se le acusaba de proteger al abusador de la periodista Lydia Cacho, entre varias cosas más.

Tras cantar el himno nacional y una breve introducción, llegó mi turno de hablar. De pronto volteo y, dirigiéndome al gobernador o "el Góber Precioso" como le decían por su relación con los mafiosos, comienzo a decir: "Señor gobernador: la gente está harta de corrupción. Nuestros jóvenes claman por líderes íntegros...".

El ambiente se tensó. Nuestro coordinador en México, David Enríquez, me dijo que en ese momento pensó que terminaríamos presos. Pero no. Llamé al gobernador a la plataforma para orar por él. Se quedó, escuchó de Cristo y me dijo: "Tendría que haber hablado más". No se fue.

Los profetas no siempre terminan degollados. Si cumplen su misión, pueden cambiar el rumbo de las naciones.

Una de mis heroínas favoritas fue Corrie ten Boom. Durante el sanguinario y perverso nazismo salvó de la muerte a muchos judíos. Ella y su hermana estuvieron en uno de los campos de exterminio pero gracias a Dios se salvaron.

Mientras enseñaba en una universidad, de Juventud con una Misión, junto con mi esposa pudimos ir a visitar la casa de Corrie ten Boom, hoy devenida en museo, en un pueblo cerca de Ámsterdam, Holanda.

Me estremecí al ver el sótano donde protegían a los judíos.

Solo personas que comprendan la relevancia de Las Escrituras pueden exponer sus vidas como Corrie lo hizo.

Cuando yo era adolescente, Corrie visitaba frecuentemente la Argentina, y yo iba con ansias a escucharla y aprender.

Cierta vez, en una conferencias de prensa, un periodista le preguntó: "Señora Boom, usted ha recibido muchos reconocimientos de gobiernos, universidades e instituciones de todo tipo, ¿qué hace en esas circunstancias?".

Ella respondió: "Los agradezco y luego voy a mi cuarto, me pongo de rodillas y se los entrego al Señor Jesucristo como un ramo de rosas ".

¡Eso es cristianismo! ¡Eso es ser seguidor de Jesús! Valiente frente a los perversos y humilde frente a las victorias. Así es como debe ser un discípulo del Señor.

En medio de un ambiente lleno de fanfarronería, incluso el religioso, hacen falta cristianos con el arrojo de los antiguos y la capacidad de esconderse detrás de la Cruz y entregarle todo el honor al único que lo merece: el Rey de reyes y Señor de señores.

"Bienaventurados los que tienen hambre y sed de justicia, porque ellos serán saciados.

Bienaventurados los misericordiosos, porque ellos alcanzarán misericordia.

Bienaventurados los de limpio corazón, porque ellos verán a Dios.

Bienaventurados los pacificadores, porque ellos serán llamados hijos de Dios.

Bienaventurados los que padecen persecución por causa de la justicia, porque de ellos es el reino de los cielos".

—MATEO 5:6-10

MIS REFLEXIONES

_____

_____

_____

_____

_____

_____

_____

_____

_____

_____

_____

_____

_____

_____

_____

_____

_____

_____

_____

_____

_____

_____

"*LOS IDEALES SE PARECEN A LAS ESTRELLAS: NUNCA LAS ALCANZAMOS PERO, COMO LOS NAVEGANTES, CON ELLAS DIRIGIMOS EL RUMBO DE NUESTRAS VIDAS*".

–ALBERT SCHWEITZER

MÉDICO, FILÓSOFO, TEÓLOGO, HUMANISTA, PACIFISTA, MISIONERO Y MÚSICO

CAPÍTULO VII

LAS ALARMAS SUENAN

"¡**N**o te queremos en nuestras escuelas! ¡No queremos verte en las reuniones cuando los líderes de nuestra nación establecen leyes!".

Con una soberbia agigantada el mundo le grita al Creador: "¡Yo soy dueño de mi cuerpo! ¡Fuera de mis asuntos!".

¡El mundo se incendia! ¡Las alarmas están sonando! ¡Es hora de hacer algo y hacerlo pronto!

Cuando era adolescente leí una novela que marcó mi vida para siempre. Se llama *En sus pasos, ¿qué haría Jesús?*

Se trata del sueño de un pastor que le propuso a su congregación que, durante treinta días, antes de cualquier decisión, se hicieran una pregunta: "¿Qué haría Jesús en mi lugar?".

Muchas cosas comenzaron a suceder.

Un joven que pasaba su vida de fiesta en fiesta, al hacerse esa pregunta se dijo: "Jesús no emplearía así su tiempo", y comenzó a involucrarse en el servicio a su comunidad de diferentes maneras.

El dueño de un periódico se detuvo a ver las páginas de su periódico y al ver algunos de los avisos publicitarios que sustentaban económicamente su publicación, exclamó: "Jesús no publicaría estos avisos". Y los sacó de su periódico.

Una cantante que generaba bastante dinero presentándose en clubes nocturnos dijo: "Jesús no usaría así su talento", y decidió usar su voz para servir a Dios.

En poco tiempo, una revolución espiritual comenzó en aquella ciudad.

¿Sabes una cosa? Es mi sueño también. Quiero ver un mundo transformado. Pero esta meta requiere por lo menos tres elementos fundamentales: evangelización, compasión y educación.

Es lo que Jesús hacía.

"Recorría Jesús todas las ciudades y aldeas, enseñando en las sinagogas de ellos, y predicando el evangelio del reino, y sanando toda enfermedad y toda dolencia en el pueblo. Y al ver las multitudes, tuvo compasión de ellas; porque estaban desamparadas y dispersas como ovejas que no tienen pastor. Entonces dijo a sus discípulos: A la verdad la mies es mucha, mas los obreros pocos. Rogad, pues, al Señor de la mies, que envíe obreros a su mies".
—MATEO 9:35-38

Hace más de sesenta años que trabajamos fuertemente en la evangelización y si Dios lo permite lo seguiremos haciendo. En los últimos diez años nos hemos involucrado en ayuda humanitaria, tarea que ha ido creciendo con el tiempo.

Nuestro próximo desafío está en la educación; por eso hemos abierto nuestra Universidad. Creemos que es un extraordinario proceso para la evangelización y transformación de nuestras comunidades.

La Biblia ya lo dijo: *"encarga a hombres (y mujeres por supuesto) fieles que sean idóneos para enseñar también a otros"* (2 Timoteo 2:2).

¿Cuál es nuestro sueño? Entrenar a diez millones de evangelistas reformadores.

La mayoría no se convertirá en pastor; no tiene el llamado a serlo.

Pero todos podemos ser, en cualquier ambiente donde nos movamos, la sal y la luz que el mundo necesita.

¿Te parece un sueño demasiado grande?

¡No! La tecnología de hoy nos permite hacer lo que, a la Iglesia del siglo pasado, le tomaba décadas.

¡Es nuestro tiempo! Es el tiempo de la Iglesia. Es el tiempo de los hijos de la luz. ¡Ha llegado la hora de brillar como nunca lo hemos hecho!

¿Querrás soñar con nosotros?

¡Por tus hijos! ¡Por tus nietos! ¡Por tu futuro! ¡Por tu familia! Soñemos con un mundo donde las artes glorifiquen a Dios, donde impere la justicia, donde se proteja a los más vulnerables. Un mundo sin pobres que se acuesten con hambre. Un mundo donde los políticos y gobernantes se den cuenta de que no son los reyes del mundo sino que son simplemente servidores del pueblo. Soñemos con un mundo donde los jueces no se corrompan, ni se abuse de la mujer, ni del niño, ni del pobre, ni del extranjero.

"Un mundo ideal", me dirás tú.

No. Simplemente un mundo lleno de Jesús. Por eso queremos entrenar a diez millones de personas apasionadas por el Evangelio que no solo "ganen almas", sino que también hagan retroceder la corrupción y hagan del mundo un lugar mejor para nuestras familias.

Muchos cristianos están encerrados en sus iglesias. Son buenos y santos, pero solo entendieron una parte del mensaje, la de su salvación personal y su relación con Dios. No entendieron la parte del Evangelio: también tenemos que ser administradores del mundo creado por Dios. Muchos de ellos se lavaron las manos, dijeron: "El mundo está muy mal. ¡Que se pudra!".

Eso no es lo que dice Dios: "*Porque de tal manera, amó Dios, al mundo...*".

La Reforma Protestante, hace más de quinientos años, cambió la realidad de la época.

Europa no era la que hoy conocemos, sino que era rústica y muy subdesarrollada. El Evangelio la transformó.

La Reforma no fue únicamente una reforma religiosa. Afectó positivamente la cultura, la economía, la ciencia, la política; la vida entera.

Eso mismo es lo que anhelamos hoy para nuestras naciones: un Evangelio que no solamente salve personas para Cristo, sino también transforme nuestras comunidades.

"Venga tu reino. Hágase tu voluntad, como en el cielo, así también en la tierra" (Mateo 6:10).

¿Querrás soñar tú también con nosotros?

El problema no es la maldad de los perversos. El peor problema es el silencio de los justos.

Sueña con nosotros. Sueña con Dios.

Soñemos con una generación de enamorados del Señor, apasionados por la Cruz. A estos llamaremos evangelistas reformadores.

Nuestra universidad espera preparar diez millones de personas que traerán el Reino sobre cada esfera de la vida.

Pero no queda mucho tiempo.

Necesito que te sumes. Tu oración, tu fe, tu convicción, tu ofrenda, tu determinación harán una gran diferencia.

¡Juntos podemos lograrlo!

Yo ya oigo el ruido; es un ejército marchando, son millones de seguidores de Jesucristo ordenándole al infierno que retroceda, declarando que el enemigo está derrotado y que Cristo es el Señor.

Pero, ¿cuál es la razón por la que la Iglesia no está haciendo esto hoy mismo?

¿Será que ella también es parte de "la civilización del espectáculo", que está tan preocupada por crecer numéricamente que ha hecho de su reunión del domingo un entretenimiento?

Tal vez, en algunos casos, tratamos de parecernos a Hollywood y en ese afán hacemos que predomine la escena y perdemos aquella autoridad de la que nos habla Lucas 24:49 *"He aquí, yo enviaré la promesa de mi Padre sobre vosotros; pero quedaos vosotros en la ciudad de Jerusalén, hasta que seáis investidos de poder desde lo alto".*

La traducción más cercana al original sería "investidos de autoridad de lo alto".

Autoridad es mucho más que poder. Es un nivel de poder que cuando se ejerce fuera de las fronteras eclesiales hace retroceder al mismo infierno.

La Iglesia fiel debe imitar al modelo por excelencia: Jesús, y transformarse así en una Comunidad evangelizadora, educadora y solícita en atender con compasión a los vulnerables de la ciudad. Debe ser una Iglesia cada vez menos asociada con "la cultura del espectáculo y el entretenimiento" y cada vez más parecida al Señor.

¿Será que tal vez corrimos hacia el Huerto de la Resurrección sin detenernos lo suficiente en el Monte Calvario? ¿Será que nos falta un poco más de *"quedaos vosotros en la ciudad de Jerusalén, hasta que..."*?

Siempre fue necesario pero nunca tanto como hoy. Frente a un mundo lleno de cinismo y perversión, hagamos que la Iglesia se levante llena de autoridad, llena de Jesús.

Hace algunos años oraba por un avivamiento que transforme naciones. A veces, los motivos de clamor llegan a mi interior y los oro por largos meses. En aquella oportunidad, sentí una voz interior que me decía: "Dile a mi Iglesia que el avivamiento que transforma naciones llegará cuando hagan obras de misericordia".

Esto será crucial en los próximos años. Tengo la fuerte impresión que para que los oídos de las personas se abran para escuchar la Palabra de Dios, primero los ojos tendrán que ver el amor del Padre expresado en forma práctica.

La Iglesia pertinente tendrá que ser cada vez menos un "espectáculo religioso" y cada vez más un fiel reflejo del amor del Señor materializado en acciones de misericordia.

Una iglesia numerosa pero irrelevante en su influencia social, política y cultural, puede revertir esta realidad si se pone el delantal, toma una jarra con agua y lava los pies del prójimo.

El Evangelio siempre será un mensaje hablado, pero también materializado en acciones concretas que liberen a los oprimidos.

De algo estoy convencido: la religiosidad, los dogmas denominacionales, el carisma de las súper personalidades no traen libertad; el único que lo hace se llama Jesús.

A Él, a Cristo, sea todo honor y gloria, por los siglos de los siglos, y especialmente hoy, en tu vida y en la mía.

"Si yo hablase lenguas humanas y angélicas, y no tengo amor, vengo a ser como metal que resuena, o címbalo que retiñe. Y si tuviese profecía, y entendiese

todos los misterios y toda ciencia, y si tuviese toda la fe, de tal manera que trasladase los montes, y no tengo amor, nada soy. Y si repartiese todos mis bienes para dar de comer a los pobres, y si entregase mi cuerpo para ser quemado, y no tengo amor, de nada me sirve".

—1 CORINTIOS 13:1-3

MIS REFLEXIONES

"LA VIDA ES MUY PELIGROSA. NO POR LAS PERSONAS QUE HACEN EL MAL, SINO POR LAS QUE SE SIENTAN A VER LO QUE PASA".

−ALBERT EINSTEIN

FÍSICO ALEMÁN DE ORIGEN JUDÍO
CONSIDERADO EL CIENTÍFICO MÁS IMPORTANTE
DEL SIGLO XX

CAPÍTULO VIII

DIOS NO SOPORTA LA INJUSTICIA

Alguien dijo que Miqueas 6:6-8 es el resumen del mensaje bíblico.

"¿Con qué me presentaré ante Jehová, y adoraré al Dios Altísimo? ¿Me presentaré ante él con holocaustos, con becerros de un año? ¿Se agradará Jehová de millares de carneros, o de diez mil arroyos de aceite? ¿Daré mi primogénito por mi rebelión, el fruto de mis entrañas por el pecado de mi alma? *Oh hombre, él te ha declarado lo que es bueno, y qué pide Jehová de ti: solamente hacer justicia, y amar misericordia, y humillarte ante tu Dios*".

"Hacer justicia, y amar misericordia, y humillarte ante tu Dios".

Podríamos decir que humillarnos delante de Dios es algo que más o menos hacemos bastante bien, quizá no lo suficiente, pero en términos generales lo cumplimos.

Cada semana adoramos, oramos, expresamos nuestro amor al Señor. La devoción es una característica hermosa de todas los cristianos de todas las confesiones. Lejos de conformarnos, esto debe crecer cada vez más. No únicamente en la reunión de la iglesia, sino cada día en nuestra vida personal. Amar al Señor con todo nuestro corazón, con todo nuestro entendimiento y con todo nuestro ser. Desarrollar una íntima relación con Aquel que tanto nos ama, que dio a su Hijo por salvarnos.

La segunda demanda, *"amar misericordia"*, la practicamos un poco menos. Hogares de niños y ancianos, ministerios que enfrentan la trata de personas, algunos hospitales y comedores comunitarios son apenas una tenue expresión de la compasión que debemos mostrar si somos seguidores de Jesús.

Cuando estudio el Nuevo Testamento, me llama la atención cómo Jesús es atraído por las personas (y nos insta a hacer lo mismo).

Los fariseos se concentraban en la pureza de la doctrina, las fechas, las ceremonias. El Señor se enfocaba en el ser humano.

La Cruz, la bendita Cruz del Calvario es tan simbólica. El palo vertical representa nuestra relación con Dios. Pero también hay un palo horizontal recordándonos nuestra relación con los demás.

La parábola del buen samaritano pinta un cuadro muy actual.

"Y he aquí un intérprete de la ley se levantó y dijo, para probarle: Maestro, ¿haciendo qué cosa heredaré la vida eterna? Él le dijo: ¿Qué está escrito en la ley? ¿Cómo lees? Aquel, respondiendo, dijo: Amarás al Señor tu Dios con todo tu corazón, y con toda tu alma, y con todas tus fuerzas, y con toda tu mente; y a tu prójimo como a ti mismo. Y le dijo: Bien has respondido; haz esto, y vivirás.

Pero él, queriendo justificarse a sí mismo, dijo a Jesús: ¿Y quién es mi prójimo? Respondiendo Jesús, dijo: Un hombre descendía de Jerusalén a Jericó, y cayó en manos de ladrones, los cuales le despojaron; e hiriéndole, se fueron, dejándole medio muerto. Aconteció que descendió un sacerdote por aquel camino, y viéndole, pasó de largo. Asimismo un levita, llegando cerca de aquel lugar, y viéndole, pasó de largo. Pero un samaritano, que iba de camino, vino cerca de él, y viéndole, fue movido a misericordia; y acercándose, vendó sus heridas, echándoles aceite y vino; y poniéndole en su cabalgadura, lo llevó al mesón, y cuidó de él. Otro día al partir, sacó dos denarios, y los dio al mesonero, y le dijo: Cuídamele; y todo lo que gastes de más, yo te lo pagaré cuando regrese. ¿Quién, pues, de estos tres te parece que fue el prójimo del que cayó en manos de los ladrones? Él dijo: El que usó de misericordia con él. Entonces Jesús le dijo: Ve, y haz tú lo mismo".

—LUCAS 10:25-37

¡Qué interesante la figura bíblica! Los que representaban el servicio religioso "pasaron de largo". No tuvieron tiempo.

En gran medida, creo que para que las personas se abran y reciban el Mensaje, primero sus ojos deben ver el amor de Dios ejercitado por sus hijos en obras de compasión. Sé que ya te lo he dicho, pero deseo que se grabe en tu corazón y en el mío.

El mundo nos está gritando: "No me interesa la imponencia de tus auditorios. No me llama la atención la espectacularidad de tus reuniones. ¡Muéstrame a Jesús! ¡Revélame a Dios!".

En el 2022, "Rescate Extremo" cumplió diez años de estar asociado con "Esperanza de Vida" trabajando en América Central. Cuidamos de niños, ancianos; trabajamos en el desarrollo de aldeas y, Dios mediante, seguiremos haciéndolo.

Pero no es suficiente. Ahora entramos también a México con "Puertas de Amor", una base propia de ayuda humanitaria y luego, hasta donde el Señor nos permita.

No concibo el ministerio sin cuidar al necesitado. No es justo que haya niños que mueran de hambre, ancianos abandonados, mujeres abusadas. ¡Es tiempo de transformar nuestras naciones!

Esto demandará, como nunca, que los cristianos nos involucremos en obras de compasión.

Gracias a Rescate Extremo y con Esperanza de Vida hemos visto aldeas transformadas.

Llegamos a un lugar remoto a caballo, moto o caminando porque no hay acceso posible para un automóvil. Lo primero que hacemos es abrir pozos de agua. Inmediatamente el 80% de las enfermedades desaparecen. Construimos casas, escuelas y todo lo que una comunidad necesita. Lo último que hacemos es el edificio para una iglesia. Al abrirlo, el pueblo agradecido viene a hacer amistad Dios.

Claro... no lo hacemos para que lleguen a las reuniones de la iglesia ¡No!

Pero evidentemente sucede.

¿Recuerdas algunas características del juicio?

"Cuando el Hijo del Hombre venga en su gloria, y todos los santos ángeles con él, entonces se sentará en su trono de gloria, y serán reunidas delante de él todas las naciones; y apartará los unos de los otros, como aparta el pastor las ovejas de los cabritos. Y pondrá las ovejas a su derecha, y los cabritos a su izquierda. Entonces el Rey dirá a los de su derecha: Venid, benditos de mi Padre, heredad el reino preparado para vosotros desde la fundación del mundo. Porque tuve hambre, y me disteis de comer; tuve sed, y me disteis de beber; fui forastero, y me recogisteis; estuve desnudo, y me cubristeis; enfermo, y

me visitasteis; en la cárcel, y vinisteis a mí. Entonces los justos le responderán diciendo: Señor, ¿cuándo te vimos hambriento, y te sustentamos, o sediento, y te dimos de beber? ¿Y cuándo te vimos forastero, y te recogimos, o desnudo, y te cubrimos? ¿O cuándo te vimos enfermo, o en la cárcel, y vinimos a ti? Y respondiendo el Rey, les dirá: De cierto os digo que en cuanto lo hicisteis a uno de estos mis hermanos más pequeños, a mí lo hicisteis. Entonces dirá también a los de la izquierda: Apartaos de mí, malditos, al fuego eterno preparado para el diablo y sus ángeles. Porque tuve hambre, y no me disteis de comer; tuve sed, y no me disteis de beber; fui forastero, y no me recogisteis; estuve desnudo, y no me cubristeis; enfermo, y en la cárcel, y no me visitasteis. Entonces también ellos le responderán diciendo: Señor, ¿cuándo te vimos hambriento, sediento, forastero, desnudo, enfermo, o en la cárcel, y no te servimos? Entonces les responderá diciendo: De cierto os digo que en cuanto no lo hicisteis a uno de estos más pequeños, tampoco a mí lo hicisteis. E irán estos al castigo eterno, y los justos a la vida eterna".

—MATEO 25:31-46

¿Qué hay de ti? ¿Estarás a la derecha o a la izquierda del Señor?

La primera demanda, *"hacer justicia"*, es la que más me preocupa. Es lo que menos hemos practicado.

Hemos desarrollado un cristianismo muy místico. Al ver a algunos cristianos pienso que habría que meterlos en un cohete y enviarlos al Reino de los Cielos. Se desconectan de la realidad, piensan que solo importa la eternidad. Nos ahorraríamos mucha energía, solucionaríamos parte del problema climático, descongestionaríamos el tránsito en las ciudades.

Cuando yo era adolescente pensaba que la vida terrenal había que vivirla rápido. No tenía importancia. Lo importante era el cielo.

Fue la época cuando el mensaje principal era: ¡Cristo viene pronto! Y claro que viene pronto. Yo predico con pasión esta verdad. Pero entonces muchos entendieron mal el mensaje y dijeron: "Entonces no me importa lo que pasa aquí". ¡Qué error fatal!

Es aquí donde comienza todo:

"De Jehová es la tierra y su plenitud; el mundo, y los que en él habitan".
—SALMO 24:1

"Porque de tal manera amó Dios al mundo, que ha dado a su Hijo unigénito, para que todo aquel que en él cree, no se pierda, mas tenga vida eterna".
—JUAN 3:16

"Por tanto, id, y haced discípulos a todas las naciones".
—MATEO 28:19

Todos estos versículos de la Palabra no hablan de individuos sueltos, sino que hablan del mundo en su totalidad.

La justicia –o la injusticia– mueven el corazón de Dios. Sobre el tema del pecado sexual, tan usado en los púlpitos, hay unas noventa referencias bíblicas. Sobre la gracia, algo tan central en el mensaje del Evangelio, hay unas quinientas referencias; sobre la justicia hay más de mil.

Dios no soporta la injusticia.

¿Te animas a continuar? Entonces te invito a que tomes tus esquíes ya que vamos a lanzarnos al próximo capítulo.

"Porque toda la Ley en esta sola palabra se cumple: Amarás a tu prójimo como a ti mismo".
—GÁLATAS 5:14

MIS REFLEXIONES

_____

_____

_____

_____

_____

_____

"EL MAYOR PELIGRO DEL SIGLO SERÁ UNA RELIGIÓN SIN EL ESPÍRITU SANTO, UN CRISTIANISMO SIN CRISTO, EL PERDÓN SIN ARREPENTIMIENTO, LA SALVACIÓN SIN REGENERACIÓN, LA POLÍTICA SIN DIOS Y UN CIELO SIN INFIERNO".

—WILLIAM BOOTH

FUNDADOR DE EL EJÉRCITO DE SALVACIÓN

CAPÍTULO IX

¿CÓMO TE GUSTARÍA A TI?

Los llamaban "los del Camino". Se referían a los seguidores de Jesús.

¡Me encanta esta forma de definir a los discípulos del Maestro!

Su vida contrastaba mucho con la de los fariseos y líderes religiosos. Estos se preocupaban por la pureza doctrinal, por la ortodoxia religiosa. Los puntos, las comas, las fechas… eran muy celosos de los detalles.

Jesús se preocupaba por la gente. Su estilo era la compasión, la misericordia, las necesidades del prójimo.

De hecho, a los únicos que trató muy duramente fue a los fariseos.

"¡*Sepulcros blanqueados!*", les llamó. Una expresión sumamente condenatoria.

Con los demás fue firme, pero muy compasivo.

"Mujer, ¿dónde están los que te acusaban? ¿Ninguno te condenó?... Ni yo te condeno; vete, y no peques más", le dijo a aquella mujer (Juan 8:10-11).

Puso sus manos sobre un leproso. Hoy es imposible entender lo que experimentaba aquel hombre. Era considerado inmundo. Tenía que vivir aislado. No conocía el abrazo de una esposa o el beso de un hijo. Pero Jesús lo hizo.

Después de muchos años, este hombre seguiría con aquella experiencia viva. "No sé el nombre de su iglesia. No estoy seguro de su corriente doctrinal.

Pero hay algo que no olvidaré: ¡Me tocó! ¡Me transformó!".

¿Cómo te gusta, mi amiga, mi amigo, que te identifiquen?

Algunos me dirán: "Evangélico"; otros contestarán: "Católico". Algunos serán más específicos: "de la Primera Iglesia Bautista de Huntington Park o de las Asambleas de Dios de Santa Ana".

¿Sabes cómo me gustaría a mí?

Si alguien hablara de mí, me gustaría poder imitar tanto a Jesús, como para que dijera: "Ese es del Camino. Es un seguidor de Jesús".

Jesús predicaba, sanaba a los enfermos, daba de comer a los hambrientos, enseñaba, tenía compasión por multitudes.

La Iglesia ha sido fiel en predicar. Tenemos entre los hispanos en todo el continente, las tasas de crecimiento numérico de creyentes más altas del mundo.

Miles han sido sanos por dones dados por Dios a sus hijos.

Pero nos quedan tareas pendientes: tareas de compasión y tareas educativas.

Ejercer esto, tal como lo hizo Jesús, abrirá el corazón de millones de personas para que lleguemos a ellos con el amor del Padre.

Uno de los grandes pasajes del Nuevo Testamento lo encontramos en Mateo 5:13-16

"Vosotros sois la sal de la tierra; pero si la sal se desvaneciere, ¿con qué será salada? No sirve más para nada, sino para ser echada fuera y hollada por los hombres.

Vosotros sois la luz del mundo; una ciudad asentada sobre un monte no se puede esconder. Ni se enciende una luz y se pone debajo de un almud, sino sobre el candelero, y alumbra a todos los que están en casa. Así alumbre vuestra luz delante de los hombres, para que vean vuestras buenas obras, y glorifiquen a vuestro Padre que está en los cielos".

Sal, luz y buenas obras. Tres características de los seguidores del Maestro.

Casi no he oído a predicadores o autores explorando las tres figuras.

Cuando hablan sobre este pasaje bíblico, se refieren al hecho de ser sal y luz. Pareciera que hay un temor de remarcar que buenas obras también son señales de un hijo de Dios. Tal vez por miedo a prestar a confusión que la salvación es solo por fe en Cristo y que nosotros nada podríamos hacer para merecerla, tiraron por la borda algo tan importante.

Ser sal tiene varios significados. Me gusta pensarlo como que, al mezclarnos con el mundo (con sus estilos y sus ambigüedades), damos "el sabor de los hijos de Dios", agregamos el ingrediente de los seguidores del Maestro.

Ser luz, está clarísimo. La luz no es para esconderla, sino para ponerla en alto a fin de que prevalezca sobre las tinieblas. Esto es un fuerte alegato frente al aislamiento de algunos cristianos.

Recuerdo un proyecto en un país del Caribe para desarrollar una ciudad solo para cristianos. Todo lo contrario a lo que la Biblia enseña.

Nos corresponde mezclarnos, ser parte, interactuar con los que no siguen a Jesús; ser luz y sal. Pero también ser hacedores de buenas obras, no para ganar nuestra salvación (la Biblia dice: *"no por obras, para que nadie se gloríe"*, Efesios 2:9), sino para que los seres humanos glorifiquen a Dios.

Aquí deseo señalar el carácter de la Iglesia de Jesús. La verdadera Iglesia debe mantener su carácter de siervo. No es manipuladora. Respeta a los que creen otra cosa. Si pretende ser dominante, por ejemplo, políticamente hablando, entonces se asemeja al Islam.

La Iglesia que representa a Jesús, cualquiera sea su nombre, siempre se ocupa de los que sufren, los marginados, los enfermos, los perseguidos.

Es una Iglesia que no hace pactos con la política. Mantiene su total independencia de los poderes terrenales, lo que le da autoridad para ser "profeta de su nación". Rehúsa alinearse con poderes políticos. Sabe que su misión es hacer discípulos que se parezcan a Jesús.

Pero esto no impide que los hijos de Dios se involucren en la política. ¡Todo lo contrario!

Lamentablemente en muchas oportunidades vemos cómo hombres y mujeres de Dios se involucran en política por afán de poder.

¡Cuánto apetito por poder! ¡Cuánta ambición por control!

Entonces, ¿cuál es el "espacio" en el que los seguidores de Cristo deberíamos movernos? A los pies de la cruz.

Allí donde fue crucificado como el peor criminal, el más Santo de todos.

Esa bendita Cruz debe recordarnos siempre el llamado a ser siervos, a no pretender privilegios, a darlo todo.

La Cruz es un espacio de muchas y diversas experiencias. Hoy quiero ver ese espacio como un lugar de arrepentimiento.

Salomé fue la madre de Santiago y Juan, la hermana de María y la mujer de Zebedeo.

Fue quien le pidió al Señor tronos para sus hijos.

"Entonces se le acercó la madre de los hijos de Zebedeo con sus hijos, postrándose ante él y pidiéndole algo. Él le dijo: ¿Qué quieres? Ella le dijo: Ordena que

en tu reino se sienten estos dos hijos míos, el uno a tu derecha, y el otro a tu izquierda. Entonces Jesús respondiendo, dijo: No sabéis lo que pedís. ¿Podéis beber del vaso que yo he de beber, y ser bautizados con el bautismo con que yo soy bautizado? Y ellos le dijeron: Podemos. Él les dijo: A la verdad, de mi vaso beberéis, y con el bautismo con que yo soy bautizado, seréis bautizados; pero el sentaros a mi derecha y a mi izquierda, no es mío darlo, sino a aquellos para quienes está preparado por mi Padre. Cuando los diez oyeron esto, se enojaron contra los dos hermanos. Entonces Jesús, llamándolos, dijo: Sabéis que los gobernantes de las naciones se enseñorean de ellas, y los que son grandes ejercen sobre ellas potestad. Mas entre vosotros no será así, sino que el que quiera hacerse grande entre vosotros será vuestro servidor, y el que quiera ser el primero entre vosotros será vuestro siervo; como el Hijo del Hombre no vino para ser servido, sino para servir, y para dar su vida en rescate por muchos".

—MATEO 20:20-28

Santiago fue el primero de los apóstoles en ser martirizado y Juan el último apóstol en morir después de gran persecución y sufrimiento.

Tal vez Salomé diría: "La cruz para mí es un lugar de arrepentimiento. Busqué lugares de honor para mis hijos. Pero mirando a Jesús, me siento avergonzada".

¿No debería ser también hoy nuestra actitud?

No me mueve, mi Dios para quererte,
el cielo que me tienes prometido,
ni me mueve el infierno tan temido
para dejar por eso de ofenderte.
Tú me mueves, Señor, muéveme el verte
clavado en esa cruz y escarnecido,
muéveme el ver tu cuerpo tan herido,
muéveme tus afrentas y tu muerte.
Muéveme, en fin, tu amor,
y en tal manera que,
aunque no hubiera cielo, yo te amara,
y, aunque no hubiera infierno, te temiera.
No me tienes que dar porque te quiera,
pues aunque lo que espero no esperara,
lo mismo que te quiero te quisiera.

¡Qué formidable poesía anónima!

Si millones fuéramos sal y luz para nuestra sociedad e hiciéramos buenas obras, el mundo sería transformado.

Hacedores de buenas obras por amor, no buscando recompensa.

¿Sabes? En este punto de mi vida me siento deudor. ¡Tanto hemos recibido inmerecidamente!

¿No será tiempo de devolver tanto amor, y hacerlo como a Jesús le gusta, a los más necesitados, a los más pequeños; al prójimo?. Así actúan los que verdaderamente son del Camino.

Ellos no solamente van a la reunión de su iglesia el domingo; también viven los siete días de la semana siendo sal, siendo luz y haciendo buenas obras, tal como le agrada al Señor.

"Lo que aprendisteis y recibisteis y oísteis y visteis en mí, esto haced; y el Dios de paz estará con vosotros".
—FILIPENSES 4:9

MIS REFLEXIONES

_____
_____
_____
_____
_____
_____
_____
_____
_____
_____
_____
_____
_____
_____
_____
_____

"*SOLO LOS TONTOS CREEN QUE*

POLÍTICA Y RELIGIÓN NO SE

DISCUTEN. ES POR ESO QUE

LADRONES SIGUEN EN EL PODER Y

FALSOS PROFETAS PREDICANDO"

–CHARLES H. SPURGEON

TEÓLOGO INGLÉS, PREDICADOR, MISIONERO,
ERUDITO BÍBLICO, ESCRITOR Y PASTOR.
CONOCIDO COMO "EL PRÍNCIPE DE LOS PREDICADORES"

CAPÍTULO X

NO DEJEMOS QUE EL FUEGO SE APAGUE

Las organizaciones mundiales que evalúan los diferentes países dicen que América Latina experimentará una importante contracción, no solo en lo económico sino también en sus débiles sistemas democráticos.

Y esto no es un juicio falto de piedad hacia nuestros queridos países. Realmente es una evaluación honesta.

De hecho, analistas serios hablan también de turbulencia en la democracia de muchas naciones en el mundo.

Por ejemplo, nunca hubiéramos imaginado que Estados Unidos, ejemplo de democracia, viviera lo que vivió alrededor de las elecciones del 2020. Los acontecimientos nos parecían del tercer mundo. Pero no, era uno de los países más desarrollados del orbe. Tampoco entendemos las actitudes contra la Corte Suprema, a partir de mayo del 2022.

Nunca hubiéramos imaginado lo que sucedió en un país con tan alta transparencia y rendición de cuentas.

Nunca hubiéramos pensado que un país importante como Rusia, después del fracaso de la Unión Soviética, persistiera en su intento de expansión geográfica encabezado por su autócrata, el antiguo agente de la KGB.

¿Será que la Iglesia debe guardar silencio?

Si los cristianos no opinamos sobre la guerra y la paz, los problemas ecológicos, el cambio climático, la situación económica, la injusticia, la corrupción, como lo hace un periodista, probablemente no nos hemos acercado lo suficiente a la mente de Dios.

Creo que los padres de la fe bíblica no entenderían ni al mundo, ni al estado actual del cristianismo. Tampoco los reformadores que, en muchos casos, pagaron con sus vidas la osadía de regresar a la Biblia.

Me imagino a dos demonios de poca monta recorriendo el mundo los domingos por la mañana. Al detenerse frente a algunas iglesias y escuchar lo que sucede allí dentro, frotándose las manos dicen: "¡Qué bueno que sigan así, muy espirituales y encerrados! Porque cuando se les ocurre imitar a Jesús y salir de sus edificios a ser sal, luz y ocuparse de hacer obras buenas, ¡arruinan nuestro negocio!".

Es muy llamativo el testimonio de personajes bíblicos y otros más contemporáneos. Veamos algunos ejemplos.

Es desafiante cómo el autor de la carta a los hebreos lo recuerda:

"Por la fe Moisés, hecho ya grande, rehusó llamarse hijo de la hija de Faraón, escogiendo antes ser maltratado con el pueblo de Dios, que gozar de los deleites temporales del pecado, teniendo por mayores riquezas el vituperio de Cristo que los tesoros de los egipcios; porque tenía puesta la mirada en el galardón. Por la fe dejó a Egipto, no temiendo la ira del rey; porque se sostuvo como viendo al Invisible. Por la fe celebró la pascua y la aspersión de la sangre, para que el que destruía a los primogénitos no los tocase a ellos.

Por la fe pasaron el Mar Rojo como por tierra seca; e intentando los egipcios hacer lo mismo, fueron ahogados. Por la fe cayeron los muros de Jericó después de rodearlos siete días. Por la fe Rahab la ramera no pereció juntamente con los desobedientes, habiendo recibido a los espías en paz.

¿Y qué más digo? Porque el tiempo me faltaría contando de Gedeón, de Barac, de Sansón, de Jefté, de David, así como de Samuel y de los profetas; que por fe conquistaron reinos, hicieron justicia, alcanzaron promesas, taparon bocas de leones, apagaron fuegos impetuosos, evitaron filo de espada, sacaron fuerzas de debilidad, se hicieron fuertes en batallas, pusieron en fuga ejércitos extranjeros".

—HEBREOS 11:24-34

Moisés no solo se encontraba con Dios en la montaña, sino que también se ocupó del sistema político y económico, de lo social y de lo militar.

José fue el primer ministro de Egipto y salvó a toda una nación.

El profeta Daniel, tan recordado hoy por millones de creyentes que siguen su dieta basada en hierbas tratando de bajar algunos kilos, administró un país entero.

Nehemías integró los aspectos religiosos, sociales y políticos.

Pablo, nuestro querido apóstol, no concebía entrar a una ciudad sin compartir la fe con las élites de los poderosos en política, negocios, educación y gobierno.

Luego encontramos los más cercanos a nosotros.

San Agustín, autor del libro *La Ciudad de Dios*, probablemente la obra más influyente después de la Biblia. Él no solo fue uno de los padres del cristianismo, sino que fue de gran influencia en el pensamiento político de su época en torno a la idea de establecer la justicia divina en la vida de las sociedades.

Juan Calvino, uno de mis héroes. ¡Qué emocionante ver su monumento en la entrada a Ginebra! La ciudad honrando a un siervo de Dios. Bajo su liderazgo esa ciudad aprobó leyes para guiar cada aspecto de la nación.

Me gusta mucho el holandés Abraham Kuyper. Organizó un partido político, fundó una universidad, fue Primer Ministro de los Países Bajos. Además, predicó y también participó en los debates del parlamento. Él, junto a otros, llevó a los Países Bajos a experimentar un poderoso avivamiento.

Otro, no muy nombrado, fue John Witherspoon. Llegó a los Estados Unidos como inmigrante y presidió el Princeton College. Entre sus estudiantes encontramos a un presidente, un vicepresidente, veintiún senadores, veintinueve diputados y a treinta y tres jueces incluyendo a tres de la Corte Suprema. ¡Eso se llama influenciar a otros!

"… por fe conquistaron reinos, hicieron justicia, alcanzaron promesas, taparon bocas de leones" (Hebreos 11:33).

¿Seremos capaces de actuar hoy de la misma manera? ¿Será tal vez que la pereza en nuestro liderazgo ha provocado congregaciones débiles y, como consecuencia, un mundo sin carácter ni conciencia moral?

¿No será el tiempo de que los hijos de luz levanten su lámpara para que las tinieblas retrocedan?

La mayoría de los países más pobres están entre las naciones cerradas al Evangelio. Los países budistas, hindúes e islámicos son el 85% de las naciones más pobres del mundo.

En contraposición, las naciones más desarrolladas económica y tecnológicamente son las más influenciadas por los principios de la Reforma Protestante, por la Biblia.

"Te alaben los pueblos, oh Dios; todos los pueblos te alaben. La tierra dará su fruto; nos bendecirá Dios,

el Dios nuestro. Bendíganos Dios, Y témanlo todos los términos de la tierra".

—SALMO 67:5-7

"Sino acuérdate de Jehová tu Dios, porque él te da el poder para hacer las riquezas, a fin de confirmar su pacto que juró a tus padres, como en este día".

—DEUTERONOMIO 8:18

Creo que es el tiempo de que los hijos de Dios salgan de las trincheras e influencien cada esfera de la sociedad con la vida de Dios, el carácter de Cristo y la santidad del Reino de los cielos.

¿Lo intentaremos?

Me parece que un paso importante es entender que todas las vocaciones proceden de Dios y todos somos sus siervos.

Generalmente pensamos que el pastor es "el siervo del Señor" y que los cristianos solo debemos "portarnos bien" y apoyar la obra. Pero la Biblia dice que el pastor debe *"perfeccionar a los santos para la obra del ministerio, para la edificación del cuerpo de Cristo"* (Efesios 4:12).

La idea bíblica es que el pastor es como un *coach* de un equipo deportivo. Los que "juegan el partido" son los hermanos de la congregación.

A esto hay que agregarle que, en la mayoría de las congregaciones, se concibe el ministerio solo en funciones eclesiásticas como predicar, adorar, evangelizar.

Pero en realidad, cuando hablamos de ministerio, debemos mirar mucho más allá de la iglesia. Cada hijo de Dios cumple con su ministerio en el lugar donde el Padre le haya puesto ya sea en el templo o en su lugar de trabajo, su vecindario y su ciudad.

El otro paso importante entonces es abandonar la idea de que hay una esfera que corresponde a Dios; es decir, un ámbito espiritual y otro que llamamos secular. Esto es totalmente antibíblico. ¡Todo le pertenece a Dios! Él está presente en todos los aspectos de la vida. No hay compartimentos separados. Como consecuencia, donde esté un cristiano, debería notarse la cosmovisión bíblica para ese aspecto de la vida. Descubrimos que la Biblia enseña sobre economía, gobierno, justicia, ciencia, etc. La Palabra de Dios no se reduce meramente a la vida espiritual.

Habíamos pensado que una mayor presencia de cristianos sería garantía de un cambio social, pero no es suficiente. Además de actuar según los principios bíblicos y evangelizar a los que nos rodean, debemos impregnar del Señor nuestros lugares de trabajo, nuestros hogares, nuestros vecindarios y cada lugar donde nos movemos.

¿Puedes imaginarlo?

Un empleado de una fábrica brillando para Dios, convirtiéndose en la guía del Señor allí; un médico pastoreando a sus pacientes; un político gobernando con justicia intachable tal como la Biblia enseña.

¿Sabes qué es eso? ¡Una revolución espiritual!

Todos los cristianos levantando la luz, cada creyente encarnando a Jesús.

Soy consciente de que muchos líderes que anhelan movilizar a sus congregaciones se enfrentan con tradiciones y culturas religiosas casi inamovibles. "Así lo hicieron nuestros padres y así lo seguiremos haciendo nosotros", ¿te suena?

Muchas veces el anhelo por cambios de los líderes jóvenes produce rotura en sus comunidades de fe. ¿Qué tal si dejamos como están a los que no quieren cambiar, los amamos y seguimos sirviendo; y paralelamente, trabajamos con los niños y los jóvenes concentrándonos en un plan a largo plazo?

Muchas iglesias dedican muy poco al trabajo con la niñez, y de ahí los resultados que obtienen.

¿Pero qué pasaría si dedicamos al trabajo con la niñez personal más capacitado y lo mejor de nuestro presupuesto?

¿Qué si desde temprana edad sembramos en los niños la visión de ser los presidentes, senadores, gobernantes, educadores, empresarios, artistas o científicos del Reino?

Los niños creen en lo que sembramos en ellos. Cierta vez le dije a la hija de un miembro de nuestro equipo, Dr. Eduardo Gómez, cuando ella tenía unos 10 años: "Serás presidente de tu país". La niña me miró con ojos muy abiertos.

Volví a verla varios años después. Le pregunté: "¿Qué estás estudiando?". "Estoy estudiando dos carreras, una de ellas es Derecho", respondió. "¿Por qué estudias dos carreras?", insistí. "Porque usted me dijo que seré presidente de mi país", replicó.

Si preparamos a la niñez y luego les guiamos en sus estudios y logramos que vayan a las universidades donde estudian los que gobiernan naciones, en una generación podríamos ver un cambio gigante en el nivel de influencia de los cristianos en el mundo.

Si los cristianos no actuamos continuaremos viendo la decadencia moral, la erosión de la democracia, la destrucción de las familias, injusticias por todas partes; en otras palabras, el avance del infierno sobre la tierra.

Son días mucho más trascendentales de lo que imaginamos. Si no actuamos rápidamente la Iglesia puede convertirse en "un lindo club religioso", sin autoridad ni relevancia.

Recordemos: debemos ser *"sal, luz y hacedores de buenas obras"*.

Dejemos esta reflexión acá. Se están apagando las llamas en la chimenea y mis nietos no están cerca, así que parece que me toca a mí agregar más leña. No voy a dejar que el fuego se apague. Nos vemos en el siguiente capítulo.

"y por todos murió, para que los que viven, ya no vivan para sí, sino para aquel que murió y resucitó por ellos".

−2 CORINTIOS 5:15

MIS REFLEXIONES

_____

_____

_____

_____

_____

_____

_____

_____

_____

_____

_____

_____

_____

_____

_____

_____

_____

_____

_____

_____

"SI PERMANECES NEUTRAL EN UNA

SITUACIÓN DE INJUSTICIA ENTONCES

ESTÁS DEL LADO DEL OPRESOR".

−DESMOND TUTU

EXARZOBISPO ANGLICANO DE CIUDAD DEL CABO,
PREMIO NOBEL DE LA PAZ 1984

CAPÍTULO XI

¿POPULISMO O ESTADO DE DERECHO?

Cada vez estoy más convencido de que los países ya no se distinguen por ser de derecha o de izquierda.

Esas categorías parece que han envejecido.

Hoy las naciones se distinguen entre democracias y totalitarismos.

Es una lucha entre el estado de derecho y el populismo.

Durante la horrible crisis entre Ucrania y Rusia, los presidentes de dos de las mayores naciones del continente americano se abstuvieron de condenar al jerarca ruso. Jair Bolsonaro, presidente de Brasil y Andrés Manuel López Obrador, presidente de México. A pesar de estar en veredas totalmente opuestas ideológicamente hablando, los dos líderes se posicionaron igual ante una de las mayores tragedias de este siglo.

El silencio o la no condenación explícita es, según los medios rusos, un apoyo diplomático a las acciones del Kremlim.

Este mismo año, López Obrador, visitó recientemente Cuba y, fiel al estilo de la izquierda latinoamericana y sus viejos baluartes, manifestó servidumbre ideológica a los patrocinadores de la fracasada revolución. Rompió lo de la supuesta "no intervención".

Pero, ¿qué hizo por los cubanos condenados a cinco, diez y hasta treinta años de cárcel por manifestarse pacíficamente en julio de 2021? Nada.

En su obra *Breve historia de la mentira fascista*, Federico Finchelstein afirma que el populismo es el fascismo adaptado a la democracia, y agrega que el engaño no respeta ninguna ideología. Son movimientos donde verdad y falsedad no pueden distinguirse.

El populismo establece que quienes ejercen el poder son los únicos verdaderos representantes del pueblo y cualquiera que se les oponga se convierte en enemigo de este.

Generalmente los populistas desarrollan políticas económicas, supuestamente para ayudar al pueblo, pero en realidad es "puro asistencialismo" que acaba con los recursos fiscales, provocando una mayor dependencia del Estado y una mayor cantidad de pobres.

Parece que los populistas han llegado para quedarse por un largo tiempo.

Ellos creen en estados grandes para proteger, intervenir y regular todas las actividades.

Es el sistema que ahoga la iniciativa privada y silencia a los medios independientes. Son dictaduras disfrazadas de democracia.

Algunos de esos líderes deslumbran a los cristianos por su simpatía a favor de la Iglesia.

Normalmente destruyen la cultura del trabajo. El ciudadano subsidiado por el gobierno, ¿para qué va a trabajar si el gobierno le da lo que necesita?

Es interesante ver que el trabajo no aparece después del pecado. Cuando Dios crea al ser humano lo coloca en el huerto para labrar la tierra.

El trabajo, el espíritu emprendedor, el estudio esforzado son elementos que desarrollan la dignidad humana.

Los cristianos deberíamos ser estudiosos de la historia para poder descubrir cuáles procedimientos han llevado a las naciones del mundo a los mejores niveles de vida, qué tipo de gobiernos tienen los países más democráticos, desarrollados, cultos y prósperos del mundo.

Los cristianos jamás debemos rendir culto a ningún gobernante ni partido político.

Nuestro compromiso debe ser con la verdad, la justicia, la separación de poderes, sin la cual no hay democracia y con Jesucristo único Señor de nuestras vidas.

Identificamos en los Evangelios algunas ocasiones en las que Jesús confrontó a las autoridades de su tiempo.

Él era profundamente compasivo con el pecador pero muy firme frente a los poderosos.

¿Eran asuntos "religiosos" los que lo enojaban?

¿Enfrentaba a las autoridades por discrepancias doctrinales? Veamos.

Por ejemplo, a Jesús le molestaba profundamente la injusticia, la avaricia que afectaba a los más vulnerables. *"El que tiene dos túnicas, dé al que no tiene; y el que tiene qué comer, haga lo mismo"* (Lucas 3:11). A los publicanos les dijo: *"No exijáis* más de lo que os está ordenado"* (v. 13). *"No hagáis extorsión a nadie, ni calumniéis"*, exhortó a los soldados (v. 14).

También fue muy tajante con los ricos por su avaricia: *"Estos son los que fueron sembrados entre espinos: los que oyen la palabra, pero los afanes de este siglo, y el engaño de las riquezas, y las codicias de otras cosas, entran y ahogan la palabra, y se hace infructuosa"* (Marcos 4:18-19).

También fue confrontativo en cuanto a la injusticia del impuesto romano.

Jesús se airó por la dominación que los poderosos ejercen sobre los demás. *"Pero él les dijo: Los reyes de las naciones se enseñorean de ellas, y los que sobre ellas tienen autoridad son llamados bienhechores; mas no así vosotros, sino sea el mayor entre vosotros como el más joven, y el que dirige, como el que sirve"* (Lucas 22:25-26).

Fue enfático en enseñar que el servicio a los demás es la medicina para sanar las heridas de una comunidad.

El Señor fue un pacifista que se rebeló contra la violencia en todas sus formas.

También fue un gran inclusivista. Llamó a Mateo, el publicano, a ser uno de sus discípulos. Eso, en aquella cultura era chocante.

Hoy hay discriminación por todas partes. Blancos que discriminan negros; latinos que discriminan asiáticos. Iglesias tan "santurronas" pero que parecieran tener en las puertas de sus edificios un gran rótulo diciendo: "Pecadores, no entren aquí. Aquí solo nos reunimos los mejores de esta ciudad".

Hay mucha discriminación a homosexuales, personas de otras corrientes políticas a la nuestra, por clase social, por aspecto físico, por enfermedades y tantas cosas.

Herzog dijo: "La pureza es el valor supremo para los fariseos... El valor supremo para Jesús es el perdón, porque ve a Dios como Dios de misericordia".

El ser humano está en el centro del enfoque de Jesús. Cualquier injusticia que maltrate al ser humano despierta el celo del Señor.

Creo que hay más de seis mil referencias bíblicas acerca de los pobres... ¿le importarán al Señor?

Lo interesante es que su celo es diferente al nuestro. Muchas veces el nuestro nos aleja de lo que Él espera de nosotros.

"Oísteis que fue dicho: Ojo por ojo, y diente por diente. Pero yo os digo: No resistáis al que es malo; antes, a cualquiera que te hiera en la mejilla derecha, vuélvele también la otra; y al que quiera ponerte a pleito y quitarte la túnica, déjale también la capa; y a cualquiera que te obligue a llevar carga por una milla, ve con él dos. Al que te pida, dale; y al que quiera tomar de ti prestado, no se lo rehúses.

Oísteis que fue dicho: Amarás a tu prójimo, y aborrecerás a tu enemigo. Pero yo os digo: Amad a vuestros enemigos, bendecid a los que os maldicen, haced bien a los que os aborrecen, y orad por los que os ultrajan y os persiguen; para que seáis hijos de vuestro Padre que está en los cielos, que hace salir su sol sobre malos y buenos, y que hace llover sobre justos e injustos. Porque si amáis a los que os aman, ¿qué recompensa tendréis? ¿No hacen también lo mismo los publicanos? Y si saludáis a vuestros hermanos solamente, ¿qué hacéis de más? ¿No hacen también así los gentiles? Sed, pues, vosotros perfectos, como vuestro Padre que está en los cielos es perfecto.

—MATEO 5:38-48

Me asombró cuando descubrí las cuarenta veces que Jesús confrontó a los poderosos. Siempre pensamos en Él como modelo de compasión, perdón, mansedumbre. Y sí que lo es. Pero también modelo de justicia, integridad, dignidad.

Cuando únicamente enfatizamos su amor y no su justicia nos desbalanceamos y lo que es peor, desbalanceamos el mensaje que comunicamos.

Uno de los presidentes más corruptos de México me dijo: "Dígales a los pastores que no me regalen más Biblias, ya me dieron más de cuatrocientas". Cada uno de los líderes cristianos le llevó un ejemplar de la preciosa Palabra de Dios. Fueron a hacer relaciones públicas, pero no le señalaron con amor y firmeza las cosas que había que cambiar.

Para cumplir nuestra misión cabalmente no solamente habrá que seguir predicando la Buena Nueva de salvación sino que también habrá que meterse en cada esfera de la vida y levantar la luz. Inevitablemente las tinieblas van a molestarse, pero *"mayor es el que está en vosotros, que el que está en el mundo"* (1 Juan 4:4).

¿Queremos solo quedar bien con los demás o proclamar y hacer lo justo?

¿Queremos el apoyo de gobernantes a cualquier costo o mantendremos firmes los principios del Reino de Dios?

La manera en que respondamos a estas preguntas puede determinar nuestro carácter, el carácter de la Iglesia y la autoridad del ministerio profético del cristianismo.

"Y Jesús se acercó y les habló diciendo: Toda potestad me es dada en el cielo y en la tierra. Por tanto, id, y haced discípulos a todas las naciones, bautizándolos en el nombre del Padre, y del Hijo, y del Espíritu Santo; enseñándoles que guarden todas las cosas que os he mandado; y he aquí yo estoy con vosotros todos los días, hasta el fin del mundo. Amén".

—MATEO 28:18-20

MIS REFLEXIONES

"LA RELIGIÓN SE COMPRUEBA

EN LO QUE SE HACE;

TODO LO DEMÁS

ES PURA PALABRERÍA".

—DR. IRVING GREENBERG

TEÓLOGO JUDÍO
AUTOR DE EL TERCER GRAN CICLO DE LA HISTORIA JUDÍA

CAPÍTULO XII

BURBUJA RELIGIOSA

A lo largo de mi vida, algunos acontecimientos fueron muy relevantes para mí, y de una u otra manera influenciaron mi percepción del mundo.

La epidemia de poliomielitis en la Argentina en el año 1956 fue devastadora. Yo tenía unos 14 años, y percibir que miles de niños murieron y otros tantos quedaron lisiados marcó mi vida.

Siendo un joven pastor, en 1962 el mundo se paralizó con la posibilidad de una tercera guerra mundial. Un avión estadounidense U-2 fotografió bases de misiles nucleares hechos por la Unión Soviética en Cuba. En la misma semana el Dr. Billy Graham celebró una gloriosa cruzada evangelística en Buenos Aires.

En esa época tres personas relevantes para la historia fueron asesinadas: John Kennedy, Ernesto "Che" Guevara y Martin Luther King Jr. Además, los Estados Unidos llevaron al primer ser humano a la superficie lunar.

En la década de los 70 estalló el famoso caso Watergate, y en los Juegos Olímpicos de Múnich un grupo terrorista palestino asesinó a nueve atletas israelíes.

El general chileno Augusto Pinochet derrocó al gobierno de Salvador Allende y, cruzando la Cordillera de los Andes, Juan Domingo Perón fue reelegido por tercera vez como presidente de la Argentina. En 1974, Perón falleció y asumió la presidencia quien era en ese momento su esposa, María Estela Martínez, la primera presidente mujer de una república en el mundo.

Por ese año, Richard Nixon se convirtió en el primer presidente de los Estados Unidos en presentar su dimisión por el Watergate.

En 1975, Vietnam del Sur se rindió ante Vietnam del Norte. Y Francisco Franco de España falleció.

También se fundó Apple, y murió Mao Zedong, líder supremo de China.

En el 79 Margaret Thatcher se convirtió en la primera mujer en ser Primer Ministro del Reino Unido.

Ya en los 80, un fanático asesinó a John Lennon, famoso integrante de los Beatles.

Ronald Reagan sufrió un intento de asesinato, y en 1982 estalló la Guerra de la Malvinas entre la Argentina y el Reino Unido como fruto del desvarío de los militares argentinos fracasados. La imagen del General Galtieri, con un vaso de *whisky* en la mano, en un balcón de la Casa Rosada arrastrando a un pueblo a la locura de la guerra, me acompañó siempre.

Robert Gallo y Luc Montagnier identificaron el virus del SIDA.

En 1984, Indira Gandhi, la Primera Ministra de la India, fue asesinada.

Un terremoto en la Ciudad de México acabó con la vida de más de treinta y cinco mil personas (el avión que me llevaba hacia Guatemala despegó del aeropuerto de la capital mexicana menos de cinco minutos antes del sismo).

No sé si la memoria me seguirá asistiendo. Es que han sido tantos los acontecimientos...

¡Qué decir del hallazgo de los restos del Titanic! La desintegración del transbordador espacial Challenger segundos después del despegue. La catástrofe nuclear de Chernóbil; la escalada terrorista de ETA; la aprobación de la píldora abortiva; el *caracazo* en Venezuela, el auge de la banda terrorista Sendero Luminoso en Perú (entre los miles de asesinados, mataron a un lingüista traductor de la Biblia con quien yo había estado la semana previa).

Quizá te esté aburriendo. Puede que no esté haciendo un recuento fiel.

Pero es que, en medio del frenesí en un mundo enloquecido, poco a poco comencé a descubrir que mi cristianismo era mucho más que mi relación con Dios, representada en el palo vertical de la cruz. El palo horizontal continuamente me llamaba la atención a la urgente necesidad de relacionarme con mi prójimo, con el mundo en su totalidad.

Estados Unidos invadió Panamá. Alemania se reunificó. Estalló la Guerra del Golfo. Se estableció la Unión Europea. Bush y Yeltsin firmaron el acuerdo de desarme nuclear.

Los países de la OEA firmaron la Declaración de Cartagena en la que se insta a educar a los pueblos para la democracia. ¡Muy poco se ha avanzado en ese sentido!

Jorge Serrano Elías, el primer presidente evangélico ganador en las urnas, renunció a su cargo. El líder principal de las Fuerzas Armadas de Guatemala lo menciona como "el presidente más corrupto en la historia del país".

En Chiapas, al sur de México, el Ejército Zapatista Liberación Nacional se alzó en armas contra el gobierno federal. Durante una de nuestras cruzadas en Chiapas, dos o tres ómnibus llenos de zapatistas encapuchados nos visitaron una tarde, y tuve la oportunidad de compartirles la Buena Nueva del Evangelio. Se dice que entre los encapuchados estaba el fundador del movimiento.

Entró en vigor el Tratado de Libre Comercio firmado por Canadá, Estados Unidos y México.

En Sudáfrica Nelson Mandela asumió como presidente.

En 1995 Microsoft creó el sistema operativo Windows 95, con el navegador web Internet Explorer. El mundo ya no sería igual.

En 1996 UNICEF exigió a China urgentes explicaciones por la muerte de miles de niños en orfanatos del país.

El 4 de julio en Los Ángeles, California, el informático indio Sabeer Bhatia lanza el primer correo electrónico.

En la década de los 90, nuestro ministerio lanzó una movilización evangelística enfocada en las élites políticas latinoamericanas. Tuvimos en nuestros eventos a presidentes, congresistas, miles de líderes gubernamentales, a muchos comenzaron a abrírseles los ojos. Ellos son iguales a cualquiera de nosotros; solamente tienen mayores responsabilidades. También necesitan a Cristo.

Estos eventos llegaron a ser noticia de primera plana en los periódicos. Fue un nuevo día para la comunidad evangélica.

En el 97 mueren la Princesa Diana de Gales y Teresa de Calcuta. Al año siguiente en Roma, Italia, se firmó el estatuto que establece la Corte Penal Internacional. Y en Kioto, Japón, se acordó el Protocolo de Kioto sobre el cambio climático.

En el 99, en los Estados Unidos, comenzó el juicio contra Bill Clinton, el primero contra un presidente en ciento treinta años.

Panamá recibió el control del Canal.

En Rusia, Vladimir Putin se convirtió en presidente.

En el 2000 el dictador Hugo Chávez promovió el decreto sobre educación que generó el primer movimiento opositor bajo el lema "Con mis hijos no te metas".

Vi carátulas de revistas cristianas con la foto del dictador. En las oficinas de una alianza de pastores en Venezuela, la foto de Chávez iba de pared a pared y del suelo al techo. Dictaduras que "encantan" a los cristianos y los llevan de sus narices.

El 2001 será siempre recordado por los atentados contra las Torres Gemelas en Nueva York y el Pentágono en Virginia. Unas tres mil personas murieron en estos actos terroristas.

En el 2003 comenzó la guerra de Irak.

En el 2004 se descubrió la galaxia más lejana (trece mil millones de años luz). Dos semanas después se descubrió otra más lejana. ¡Qué grande es nuestro Creador y todo lo que Él ha creado!

En el 2008 quebró el Banco de Inversión Lehman Brothers con el mayor pasivo de la historia: $550,000 millones de dólares. Afectó a cien mil entidades financieras y desató pánico a nivel mundial.

La administración Bush aprobó el plan para enfrentar la crisis: una inversión de $700,000 millones de dólares del Departamento del Tesoro de USA.

El primer Presidente afrodescendiente, Barack Obama, fue elegido en los Estados Unidos.

El 2013 será recordado por la elección del primer Papa latinoamericano.

Tal vez me estás diciendo: "¡Basta, por favor! ¡No más registros históricos!". Bueno, los entendidos se quejarán de haber dejado afuera a centenares de acontecimientos como la muerte del dictador Fidel Castro, la guerra de Siria, los atentados terroristas en el mundo, las veces que Rusia violó los tratados que había firmado, el ébola, terremotos y huracanes, las locuras de Maduro, los movimientos migratorios, el proceso de paz en Colombia, el COVID 19, la muerte de Kobe Bryant en un accidente, la invasión de Rusia a Ucrania provocando repudio a nivel mundial. Y miles de acontecimientos más.

Al releer el manuscrito, antes de darlo por terminado, acabo de escuchar acerca de una horrible tragedia.

Un joven de 18 años, de una pequeña ciudad de Texas, mató a diecinueve estudiantes y a dos maestras de escuela. Los crímenes violentos se multiplican en los Estados Unidos. Hay más armas que habitantes.

¿Cómo podemos los cristianos justificar esta venta indiscriminada de armas? ¿Lo haría Jesús?

Pero no es solo un problema de los Estados Unidos sino también de América Latina. Andrés Oppenheimer, periodista del *Miami Herald* y analista político de CNN en Español, afirma que "hoy es más peligroso caminar vestido de traje y corbata por las calles de Buenos Aires o Ciudad de México, que disfrazado de soldado americano por las calles de Bagdad".

El presidente López Obrador prometió que bajaría el nivel de violencia. No lo logró. Hay unos cien crímenes violentos por día, y México es el segundo país a nivel mundial y el primero en el continente en número de asesinatos a periodistas.

La violencia desatada por la rivalidad entre carteles de droga nos asombra a todos. Y lo que me duele profundamente, los millones de abortos. ¡Claro que las mujeres tienen derechos! Pero, ¿y los niños en sus vientres no tienen derechos? Sesenta millones de niños abortados nos gritan en la cara.

Mi pregunta es: ¿has salido de tu zona de confort o todavía estás encerrado en tu burbuja religiosa?

La Biblia afirma que *"el anhelo ardiente de la creación es el aguardar la manifestación de los hijos de Dios"* (Romanos 8:19).

Muchas cosas hubieran sido diferentes si los hijos de la Luz hubieran estado en los parlamentos y en las cortes de justicia, con la Constitución en las manos y la Biblia en el corazón y en la mente.

Muchas cosas serían diferentes si en los foros internacionales no solamente actuaran los contrarios al cristianismo; también tendríamos que haber estado los del Camino, los seguidores de Jesús.

¿Qué tal si lo intentamos?

El primer paso es abrir la mente a esta urgente necesidad. Las cosas no cambiarán de la noche a la mañana, pero, así como preparamos a los hijos de la Iglesia para ser pastores, evangelistas, maestros ¿qué tal si a algunos los empezamos a preparar para ser senadores, diputados, jueces, gobernantes?

Es el día de la mayor oportunidad para la Iglesia.

"De cierto, de cierto os digo: El que en mí cree, las obras que yo hago, él las hará también; y aun mayores hará, porque yo voy al Padre".

—JUAN 14:12

MIS REFLEXIONES

_____

_____

_____

_____

> *"EL PRECIO DE DESENTENDERSE*
>
> *DE LA POLÍTICA ES EL DE*
>
> *SER GOBERNADO POR LOS*
>
> *PEORES HOMBRES".*

–PLATÓN

FILÓSOFO GRIEGO.
DISCÍPULO DE SÓCRATES Y MAESTRO DE ARISTÓTELES,
FUNDADOR DE LA ACADEMIA DE ATENAS

CAPÍTULO XIII

NECROFILIA POLÍTICA

Hoy existe una nueva forma de hacer política. Ya no se producen los golpes de estado del siglo pasado. Ahora los autócratas son elegidos democráticamente y van destruyendo el sistema democrático desde adentro.

Moisés Naím, en su reciente libro *La revancha de los poderosos*, los denomina "autócratas 3P". Él dice que combinan *p*osverdad, *p*olarización y *p*opulismo. Los candidatos autócratas ofrecen a los ciudadanos soluciones fáciles.

Naím habla de lo difícil que es para la gente trabajadora ganarse la vida: criando a sus hijos y sobreviviendo, advertir el sigilo de algunos gobernantes, las malas conductas, los abusos y las fechorías de quienes están en el poder.

Este brillante venezolano nacido en Libia, hablando con el periódico *La Nación*, anticipa a una Rusia pobre y represora, aislada del mundo y con un Putin reprimiendo ferozmente a quienes se atrevan a salir a la calle a exigir libertad.

En la misma entrevista habló de "necrofilia política", una perversión que sufren algunos seres humanos: atracción por los cadáveres. La versión política de la necrofilia, afirma Moisés, es la atracción por las malas ideas, aquellas que han sido probadas una y otra vez y siempre terminan en sangre, sudor, lágrimas, miseria y corrupción.

Se sabe, terminan mal. Nunca funcionan y, sin embargo, son seductoras, prometen lo que probablemente nunca va a cumplirse, pero suenan muy bien... La Argentina tiene una propensión muy fuerte a la necrofilia política.

Estas palabras del escritor me han dejado pensando que esta es la tendencia latinoamericana. Y si no, veamos a Bolivia, Perú, México, por mencionar algunos.

Entonces, ¿cómo irrumpir en la política de nuestras naciones sin cometer los mismos errores?

Aunque respeto y en cierta medida respaldo emprendimientos políticos confesionales, la historia nos dice que ninguno tuvo gran relevancia, ni católicos ni protestantes.

Una excepción ha sido el Demócrata Cristiano, pero solo en Alemania y Chile.

Si vemos lo postulado por el Instituto de Estudios Social Cristianos de Perú, en América Latina, el hecho de ser una comunidad pequeña, perseguida y, en algunos lugares despreciada, llevó a la Iglesia evangélica al encierro.

Fue en Chile, a principios del siglo XX, donde ocurrió la primera explosión de crecimiento numérico que provocó que el sociólogo y teólogo calvinista suizo

Christian Lalive d'Epinay publicara el libro *El refugio de las masas*. En esta obra, el autor presenta a la Iglesia (habla específicamente de la vertiente pentecostal), como el espacio donde las grandes masas de desposeídos hallan dignidad y reconocimiento.

Pero se repite el fenómeno del aislamiento: los pobres que habían sido segregados por el mundo ahora segregan ellos al mundo.

En la segunda parte del siglo XX hay una explosión de crecimiento numérico de la Iglesia especialmente en América Central. Estadísticas hablan de un casi 50% de cristianos evangélicos en esa región, pero aquí también se da el estilo aislacionista.

Las etapas –o procesos– de la comunidad cristiana evangélica en el mundo hispanoamericano están marcadas por varios elementos: trasfondo misionero, número de convertidos, principios teológicos que determinan sus modos de relacionarse con la sociedad, etc.

Los primeros misioneros protestantes que llegaron a América Latina a mediados del siglo XIX eran de denominaciones tradicionales.

Luego de un siglo de trabajo, las congregaciones especialmente en el cono sur, se reducían a las colonias inmigrantes.

Su mayor involucramiento social con políticos liberales de la época fue en pro de libertad religiosa, separación Iglesia y Estado, matrimonio civil, etc.

A mediados del siglo XX llegó un nuevo tipo de misioneros, con una posición política y religiosa mucho más conservadora estadounidense. Es cuando se deja de hablar de "protestantes" y se comienzan a descubrir como "evangélicos". No son una unidad homogénea como la Iglesia Católica, se sabe que hay diferentes expresiones, pero se les identifica como esta nueva presencia en la sociedad latinoamericana conocida como Iglesia Evangélica.

En cincuenta años se produjeron más cambios y crecimiento que en los cinco siglos anteriores. Comenzó una transformación del panorama religioso latinoamericano.

Sobresalieron las denominaciones pentecostales, especialmente en Brasil y Chile, y se desarrolla el modelo del pastor evangélico nacional en lugar del misionero protestante extranjero. Pero el hecho de que los cristianos se sintieran ciudadanos "de otro reino" los llevó a apartarse del mundo. Aquellos que habían sido marginados por el mundo ahora marginan al mundo. Los valores teológicos que comparten en su ética los afirmaba en la convicción de que el Evangelio no tiene nada que ver con la política y que su compromiso con el país donde nacieron y viven es por medio de la predicación y la oración. Fue la época de las grandes cruzadas y el comienzo del uso de los medios de comunicación para compartir el Mensaje.

Algunos sociólogos llaman a esa época de la Iglesia "huelga social".

Hay grandes excepciones que, entre otras cosas, provocaron que la Fraternidad Teológica Latinoamericana convoque a dos consultas. La primera en República Dominicana (1983) y la segunda en la Argentina (1987) de las que el Dr. René Padilla, compilando lo compartido, publicó la obra *De la marginación al compromiso: los evangélicos y la política en América Latina*.

El gran salto, hablando en general, se hizo evidente con la irrupción en la comunidad cristiana del movimiento neopentecostal.

Este, producto de una apertura de los cristianos en las diferentes vertientes de la fe a la obra del Espíritu Santo –incluyendo la Iglesia Católica Carismática–, desarrolló un estilo que atrajo a las clases media y alta. Comenzó así el fenómeno de las "megaiglesias".

Este nuevo desarrollo de la comunidad cristiana latinoamericana aceleró el crecimiento numérico y con él, el interés por la participación política. En países con 20% de creyentes o 49% como algunos de Centroamérica, se comenzó a soñar con el "voto confesional", esto es, "cristiano vota cristiano", aunque solo se percibió en Brasil; en el resto de las naciones el voto evangélico siguió el comportamiento regular del electorado.

El movimiento evangélico tradicional histórico, con mayor injerencia en las clases baja y media-baja, cortó toda relación con el mundo, haciéndose evidente hasta los años 80.

El movimiento neopentecostal, ya insertado en las clases media-alta y alta, vió como algo normal el involucramiento del cristiano en la política.

La teología de los históricos produjo una ética de ayuda a través de la educación y la evangelización buscando el bien de los demás.

La teología del neopentecostalismo produjo una ética que incluye, educación, bien al prójimo y le agrega la cosmovisión bíblica de retomar todo el mundo para Dios, inclusive la política y el gobierno.

Sin embargo, el número de cristianos involucrados en política no está al mismo nivel del desarrollo de la cosmovisión bíblica y el crecimiento numérico.[2]

Volviendo a nuestros días, mi primera recomendación es: ¡llenemos los partidos políticos con hijos de Dios profesionales!

Claro que antes hay que prepararlos para que no se contaminen, para que mantengan sus corazones y manos limpias y hagan una real diferencia con sus propuestas.

En los últimos años, un creciente número de cristianos incursionaron en la política con la bandera "provida". Y esto es bueno, es fundamental. Pero no alcanza para gobernar.

Necesitamos propuestas coherentes para cada esfera del quehacer nacional y lo que más importa: lograr buenos resultados.

Servir a Dios en la esfera política es una experiencia que demanda la mejor y mayor preparación.

---

2. Algunos de los datos recién compartidos provienen del formidable estudio hecho por el Instituto de Estudios Social-Cristianos de Perú: *Evangélicos y poder en América Latina.*

Cuando veo a muchos de los líderes latinoamericanos sé que podemos lograrlo. La realidad de muchos países en América Latina nos muestra que muchos gobernantes no tienen la preparación adecuada (algunos de ellos no están preparados en absoluto), solo son astutos, fanáticos ideológicos y atrevidos.

Nosotros podemos hacerlo mejor. Podemos (y debemos) preparar a nuestra gente. Hay que enviarla a las mejores universidades y darles apoyo económico.

De la misma manera como nuestras congregaciones apoyan a los que van a un instituto bíblico o a un seminario, tenemos que apoyar económicamente a los que se preparan con pasión para transformar naciones.

Algunas iglesias tienen la idea cavernícola de sobreproteger a sus hijos. Tienen miedo de que se contaminen en ambientes seculares. Esta es la gran prueba de nuestro cristianismo. Si se resfrían al asomar la nariz es que no tienen buena salud. Si se contaminan en el mundo, es que no han sido bien discipulados. Siempre hay un riesgo, pero hay que intentarlo.

Déjame contarte sobre un muchacho. Se trata de una familia chilena que vivió durante varios años en la ciudad de Córdoba, Argentina. El padre, un empresario creativo y productor de alimentos, envió a sus hijos a diferentes universidades. Uno de los muchachos estudió en La Sorbona de París. Fue en esa universidad donde nació la idea de que "Dios está muerto"; se la conoce "la cuna del ateísmo".

Este muchacho recibió allí una clase donde el profesor pretendía destruir la idea de Dios. Al terminar la conferencia, el muchacho le preguntó al profesor si le permitía dar su opinión, y en su limitado francés comenzó a dar su testimonio. Desde aquella experiencia lo empezaron a apodar "El pastor de la Sorbona".

Anualmente la institución celebra un gran concierto usando el talento de los estudiantes. Al saber que este muchacho tocaba muy bien el violín le preguntaron si quería participar en el concierto: "*¡Claro! Con la condición de que me permitan explicar la música que voy a tocar*", a lo que aceptaron sin problema. Ante la audiencia más atea del mundo, este muchacho sudamericano magistralmente tocó y explicó el himno Sublime Gracia.

Dicen que la ovación que le ofrecieron al terminar fue la más grande entregada en un concierto de La Sorbona de París, la cuna del ateísmo mundial.

No hay ningún temor frente a la ciencia, frente al conocimiento. Temor deberíamos tener de no llevar a ese espacio la brillante luz del Evangelio.

Enviemos a nuestros jóvenes a las mejores universidades que podamos para obtener la mejor preparación posible y responder cabalmente como discípulos de Jesús.

Mi primera reflexión al terminar este capítulo es que de ninguna manera pienso que la participación de cristianos, personas de fe en el ámbito de la política es la solución a todos los problemas del mundo. Por supuesto que no. Pero es un paso importante.

Las personas con moral judeocristiana práctica (no de nombre, no de tradición sino que vivan su fe en el día a día) son los que debieran convertirse en la conciencia moral de sus naciones. Estos son los que se involucran en los asuntos de su país pero no se contaminan. Mantienen limpios su corazón y sus manos. No tienen temor a ser escrutados. Rinden cuentas claras de sus vidas personales y su accionar público.

Esto tampoco significa que debemos esperar un "gobierno cristiano". Eso es lo que quiere el Islam, donde musulmanes son mayoría. ¡No!

Las personas de fe bíblica que gobiernen, tendrán que hacerlo para todos, afirmando los valores del sistema democrático.

Tampoco debemos esperar alcanzar "un mundo perfecto". Las profecías son claras en lo relativo a los últimos días. Esto no quita que debemos mirar a las Escrituras como un todo, entendiendo nuestra responsabilidad de luchar por un mundo mejor. Y esto requiere integridad, transparencia y veracidad.

Es tiempo de ser la conciencia moral de nuestros países.

"El Espíritu de Jehová el Señor está sobre mí, porque me ungió Jehová; me ha enviado a predicar buenas nuevas a los abatidos, a vendar a los quebrantados de corazón, a publicar libertad a los cautivos, y a los presos apertura de la cárcel".

—ISAÍAS 61:1

MIS REFLEXIONES

"EL CAMINO DE JESÚS ES EL CAMINO DEL DISCÍPULO, Y EL DISCIPULADO CONSISTE EN CAMINAR CON ÉL".

—AVERY DULLES

TEÓLOGO CATÓLICO

CAPÍTULO XIV

CRISTIANISMO, ¿DE FORMAS O DE PRINCIPIOS?

Es interesante el papel de nuestras emociones en la vida.

Somos muy movidos, por ejemplo, por la música, las canciones, los conciertos.

Se me hace muy obvio que la Iglesia también es parte de la "civilización del espectáculo", también tiene sus "ídolos populares", y esto ha sido una característica en las últimas décadas.

Sin embargo –y a pesar de esto–, la Biblia deja claro que nuestra fe no es solo algo que se siente; nuestra fe es algo que también se piensa.

Pablo habla de *nuestro culto racional* (Romanos 12:1), y encontramos un énfasis al final de los evangelios y de todo el Nuevo Testamento sobre el discipulado.

Hemos puesto gran foco en el carisma, la unción y el talento, pero deberíamos haberlo puesto en el carácter. Nos afecta mucho como Pueblo de Dios (lo que es razonable), cuando alguno de nuestros "grandes ídolos" tiene fallas morales.

El ministerio profético de la Iglesia está profundamente vinculado a su propia credibilidad e integridad. La Palabra deja en claro que no existe un cristianismo auténtico, ni discipulado, ni vida cristiana sin hacer las obras que Él enseñó que hiciésemos.

Claro que las obras no son para salvación. La salvación es por la pura gracia inmerecida del Señor. Pero como fruto de nuestra libertad y participación en su Reino es que alegremente hacemos sus obras.

Cuando descubrimos a "cristianos" que mienten, que toman indebidamente dinero que no les pertenece o que permanecen insensibles ante una sociedad que se destruye a sí misma, nos damos cuenta de que es urgente un entendimiento cabal de la ética cristiana de comportamiento antes de que podamos transformar al mundo. Solo mujeres y hombres realmente transformados por Dios pueden encarar la transformación de naciones.

Nuestra vida religiosa se ve afectada por la cultura a la que pertenecemos.

Me dolió mucho (y me molestó) la interpretación que hizo alguien acerca de los hispanos: "El europeo dice lo que piensa. El estadounidense hace lo que dice. El hispano no dice lo que piensa y no hace lo que dice".

Claro que es molesto, pero debemos enfrentar nuestra realidad.

Yo creo que, desde la fundación de nuestra cultura hispanoamericana, empezamos mal.

Los colonizadores, dejando atrás una cultura conservadora, vieron en las mujeres indígenas la oportunidad de saciar sus apetitos sexuales. La mujer llegó a ser parte del botín. Algunos conquistadores tenían docenas de mujeres en su harén. Claro que, antes de tener relaciones con ellas, las hacían bautizar.

Se estableció una cultura de infidelidad y de lujuria, acompañada de una religiosidad de formas más que de principios.

También se forjó la personalidad hispanoamericana con una tendencia a abusar del más débil. Los conquistadores se entusiasmaron con llevar a su tierra natal el oro y los metales preciosos de alto valor y pequeño volumen, ideales para transportar a España. Se estableció una cultura de despojo.

También la frase española "acato, pero no cumplo" se hizo regla en Hispanoamérica. La falta de respeto a la ley, el buscar formas de evadir responsabilidades –por ejemplo, no pagar correctamente los impuestos–, el buscar amigos en la policía o en el gobierno para librarnos de ciertos deberes ciudadanos son algunas características que tristemente hemos desarrollado. La tendencia a depender del "amiguismo" en lugar de someternos a las leyes. Todas estas han sido tendencias que fueron forjando nuestra personalidad cultural: el no respeto a los votos matrimoniales, el abuso al más débil y el no respeto a la ley.

Los cristianos y todos los que tenemos raíces en el judaísmo debiéramos ser una contracultura.

> *"Vosotros sois la luz del mundo; una ciudad asentada sobre un monte no se puede esconder. Ni se enciende una luz y se pone debajo de un almud, sino sobre el candelero, y alumbra a todos los que están en casa. Así alumbre vuestra luz delante de los hombres, para que vean vuestras buenas obras, y glorifiquen a vuestro Padre que está en los cielos".*
>
> —MATEO 5:14-16

No he hallado, ni soy capaz de sintetizar un proyecto de vida más claro que el que nos comparten el Dr. Glen H. Stassen y el Dr. David P. Gushee en su extraordinaria obra *La ética del Reino*:

1. Los discípulos desarrollan una ética holística de carácter, atendiendo críticamente a sus pasiones y lealtades, su manera de razonar moralmente, sus percepciones y convicciones teológicas básicas; ellos viven humildemente ante Dios, se entristecen por lo malo en ellos y en el mundo, se entregan al Señor, tienen hambre y sed de su justicia liberadora, ofrecen acción compasiva, perdón, sanidad y lealtad a aquellos que están con necesidad, se dan a sí mismos totalmente a Dios, hacen las paces con sus enemigos,

persistiendo y aun regocijándose al ser perseguidos (Mateo 5:3-12).

2. Los discípulos fundamentan sus decisiones morales y su estilo de vida en la autoridad bíblica, leyendo todo el canon al igual que Jesús, con una exégesis profética que realza el énfasis sobre la gracia de Dios, los aspectos morales de la ley antiguo-testamentaria, el contenido de la justicia como hechos de misericordia y amor, y una conciencia del manantial interior de toda acción (Mateo 5:17-20).

3. Los discípulos practican la enseñanza de Jesús dentro del contexto de una creencia en la gran narrativa bíblica, especialmente el relato de la irrupción del Reino dentro del cual Jesús emprendió su ministerio; este relato del carácter de Dios, su voluntad y acción en la historia fundamenta luego el desarrollo de principios morales particulares, reglas y juicios dentro de las situaciones presentadas por su vida (Mateo 5:17-20).

4. Los discípulos leen la enseñanza moral de Jesús, no como elevados ideales, dichos difíciles, consejos para la perfección o evidencia de nuestra pecaminosidad, sino como una instrucción concreta para la vida. Ellos se enfocan en lo mismo que Jesús, en las iniciativas transformadoras particulares que capacitan a los discípulos para que rompan los ciclos viciosos de la humanidad, los cuales obstaculizan la obediencia a la voluntad de Dios, Creador y Redentor.

5. Los discípulos no asesinan ni aprueban las muertes violentas. Más bien se humillan, toman iniciativas pacificadoras y actúan para evitar la violencia en la vida

personal, social, nacional e internacional (Mateo 5:21-26, 38-48; Mateo 7-9).

6. Los discípulos valoran la vida en sus comienzos y en sus finales vulnerables, luchando para evitar el aborto, la destrucción del embrión, la clonación reproductiva, la narcisista modificación genética y la eutanasia (Mateo 5:21-26).

7. Los discípulos honran las intenciones de Dios respecto a las relaciones entre hombres y mujeres al tratarse los unos a los otros con respeto, alentando así la sumisión mutua y un enfoque evangélico en las relaciones entre ellos, limitando la expresión de la sexualidad genital a la soltería célibe o al matrimonio monógamo de pacto (Mateo 5:27-30).

8. Los discípulos viven con amor y justicia liberadores en toda relación, especialmente con los más vulnerables, los excluidos, los marginados, los débiles y los oprimidos (Mateo 5:43-48).

9. Los discípulos hablan verazmente, guardan el pacto y viven en la verdad reteniéndose solo en contadas emergencias morales bajo condiciones de mal social (Mateo 5:33-37).

10. Los discípulos trabajan para que haya justicia en las relaciones raciales y económicas, viviendo con relativa frugalidad económica, evitando un afán idolátrico por adquirir cosas, evitando el consumismo, la avaricia, la injusticia. Alimentan a los necesitados y a los pobres como una práctica personal y social (Mateo 6:19-34).

11. Los discípulos cuidan de la creación de varias maneras, tales como la conservación de energía, la limitación del tamaño de la familia y el uso de recursos, el apoyo del uso de transporte público y la regulación gubernamental apropiada (Mateo 6:19-34).

12. Los discípulos practican hacer obras de misericordia, ayunar y orar sin buscar el reconocimiento humano; ellos oran de una forma diseñada para profundizar su compromiso con el Reino de Dios y su participación en él (Mateo 6:1-18; 7:6-11).

13. Los discípulos retienen su distinción como seguidores de Cristo al relacionarse con el mundo con gracia por medio de una presencia pionera-pastoral, servicial y transformadora (Mateo 5:13-16; 7:6-12).

14. Los discípulos estudian, obedecen y reflexionan sobre las enseñanzas de Jesús, buscando entrenar a otros para que hagan lo mismo (Mateo 7:12-27).

¡Gracias Glen! ¡Gracias David! Nos ponen a pensar seriamente.

Estas verdades nos confrontan con la necesidad de vivir la fe. No solo practicarla en nuestro lugar de culto el sábado o el domingo. Hay que vivir la fe las 24 horas, los siete días de la semana, en todo ámbito donde nos movamos. Recordemos otra vez lo que dijo el Dr. Irving Greenberg: "La religión se comprueba en lo que se hace; todo lo demás es pura palabrería".

"Bienaventurados los misericordiosos, porque ellos alcanzarán misericordia. Bienaventurados los de limpio corazón, porque ellos verán a Dios.

Vosotros sois la sal de la tierra; pero si la sal se desvaneciere, ¿con qué será salada?".

—MATEO 5:7-8, 13

MIS REFLEXIONES

_____

_____

_____

_____

_____

_____

_____

_____

_____

_____

_____

_____

"*NO TENEMOS DERECHO A HABLAR*

DEL AMOR DE DIOS

SI PERMANECEMOS INSENSIBLES

ANTE EL DOLOR DE LOS

MÁS VULNERABLES".

–PASTOR JUAN CANO

LÍDER DE UN GRAN MOVIMIENTO DE AYUDA
A REFUGIADOS UCRANIANOS
PASIÓN POR JESÚS, MADRID, ESPAÑA.

CAPÍTULO XV

¿A QUIÉN ENVIARÉ?

La palabra compasión en griego describe una clase de amor tan intenso que produce dolor en las entrañas del ser humano.

¿Será ese tipo de amor lo que hizo exclamar a Jeremías?

"¡Mis entrañas, mis entrañas! Me duelen las fibras de mi corazón; mi corazón se agita dentro de mí; no callaré; porque sonido de trompeta has oído, oh alma mía, pregón de guerra" (Jeremías 4:19)

Fue el pastor Cano quien también dijo: "El dolor de otros, nos hace humanos".

Yo vi personas llorando al ver videos de nuestro trabajo humanitario en Centroamérica, pero que no movieron ni un dedo. Lloraron como si estuviesen mirando una telenovela.

He escuchado a algunos despotricando frente a los malos gobernantes de sus países. Parecían patriotas inflamados de fervor queriendo liberar a sus naciones de la corrupción, pero cuando se normalizó su presión sanguínea, no hicieron nada.

He visto grandes congregaciones y masivos congresos listos para transformar naciones, para ir hasta el fin del mundo (obviamente si los envían por alguna aerolínea reconocida, en un buen asiento y con mucha seguridad económica), pero al finalizar aquel explosivo momento emocional, volvieron a su estilo pasivo de religiosidad.

Las personas que van a cambiar al mundo son definitivamente atrevidas. Son mujeres y hombres profundamente compasivos. El amor que experimentan por sus semejantes les provoca hasta dolor en sus entrañas.

Son inteligentemente políticos. Saben que el mundo no está bien y se resisten a ceder la dirección de sus naciones y ciudades a manos de corruptos. No siguen "cantos de sirenas". No son útiles a los propósitos de los perversos. Están listos para prepararse para ocupar esos "campos misioneros": las artes, el servicio público, el gobierno.

Han descubierto que no solo se sirve a Dios en el púlpito de una iglesia o sinagoga. A Dios se le sirve en toda esfera de la vida.

Yo ya siento la música. La más grande sinfonía. Ni Mozart ni Beethoven lograron producir tamaña majestuosidad. Los que la escriben y ejecutan, en su mayoría, no son grandes compositores, ni famosos músicos. Son solamente hombres y mujeres comunes, que tienen la marca de la cruz. Abandonaron la "Civilización del Espectáculo", del personalismo, del éxito y de la fama. Adoptaron la cultura del Reino de Dios que incluye entrega, compromiso, pasión y amor desinteresado.

No pretenden llegar directamente al Huerto de la Resurrección; saben que primero hay que detenerse en el Huerto de los Olivos y en el Monte del Gólgota.

Las palabras de Charles Colson, famoso por el caso Watergate, tras su conversión a Cristo y conocido por su ministerio carcelario, podrían ser las de cualquier cristiano: "Sentí que había recibido la salvación y que iría al Cielo, pero ¿es este el único fin de la vida cristiana? ¿Qué cosas hace un nuevo creyente? Asiste, por supuesto, a estudios bíblicos, a la iglesia, a reuniones de oración. Además, cumple con los mandamientos. Pero, ¿qué más hace? ¿Cuál es el verdadero sentido de la vida cristiana? Me sentí intranquilo y confundido".

Los discípulos maduros, los que pueden cambiar el mundo tienen palabras como las de David Livingstone, médico explorador y misionero británico: "No daré valor alguno a nada de lo que tengo o pueda poseer a no ser en relación con el Reino de Cristo. Si algo puede hacer avanzar los intereses de ese Reino, será entregado o retenido solo en la medida en que pueda, entregándolo o reteniéndolo, hacer avanzar la gloria de Aquel a quien debo todas mis esperanzas en este tiempo y por toda la eternidad".

Uno de los profetas que más admiro es Isaías. Cuando su libro en la Biblia se refiere a *"el año en que murió el rey Uzías"* (Isaías 6), no es solo un registro de fechas. Isaías, como muchos de su época, era patriota y soñador.

Uzías había sido uno de los mejores gobernantes. Llevó a Judá a vencer a enemigos de la nación, casi alcanzó las fronteras prometidas en el pacto de Abraham y las de los días de Salomón.

El comercio, el poder militar y el entorno en general mostraban prosperidad. Pero la muerte de Uzías ensombreció el firmamento. Parecía que los sueños se destruían.

Sin embargo, mientras tambaleaba el trono de Judá, Isaías sabía que el trono celestial era inconmovible, y es entonces cuando Dios tuvo un acercamiento con su siervo. Me llama la atención que no le hace un llamado directo. No le dice: "Oye Isaías, te necesito para trabajar y solucionar esta crisis". ¡No! Sencillamente le presenta la situación y hace una pregunta muy general: "*¿A quién enviaré, y quien irá por nosotros?*"(Isaías 6:8).

Me deja pensativo. Dios apela al amor en el corazón de sus hijos.

Es que el amor, cuando es real, mueve e impulsa. *"Heme aquí, envíame a mí"*, reaccionó Isaías.

Hoy Dios está apelando al amor de sus seguidores. La situación es crítica, alarmante. Pero no nos obliga. Espera nuestra determinación por causa de nuestro amor.

¿Tienes esperanza de transformar al mundo? Es difícil, pero no imposible.

¿La tarea es para flojos, corruptos y buscadores únicamente de su propio bien? ¡No!

Es tarea de gente noble, gente común y corriente, gente que ame, que se enoje con la maldad como lo hacía Jesús.

¿En cuál categoría estaremos tú y yo?

Cuando veo el rostro de mis nietas y nietos, decido estar en el grupo de la gente que ama, que no soporta el engaño ni el abuso a los demás. Quiero que las futuras generaciones vivan en un mundo mejor.

Una de las historias más desafiantes de la Biblia está en los evangelios y la conocemos como la del joven rico.

El muchacho se acercó a Jesús. Evidentemente se sentía atraído por este nuevo profeta que recorría Palestina predicando un nuevo mensaje de amor. "*¿Qué haré para heredar la vida eterna?*". "*Los mandamientos sabes*", le respondió el Señor.

Aquel joven, con sinceridad, le contesta: "*Los he cumplido desde mi juventud*". Era un buen muchacho. Miembro ejemplar de su comunidad religiosa.

Entonces Jesús, que puede mirar la profundidad del ser humano, ve que el corazón del muchacho estaba en las riquezas. Entonces le planteó una demanda más. Tal vez no es lo que te pida a ti o a mí, pero al joven rico le dice: "*Una cosa te falta: anda, vende todo lo que tienes, y dalo a los pobres, y tendrás tesoro en el cielo; y ven, sígueme, tomando tu cruz*" (Marcos 10:21).

El muchacho se afligió. ¡Claro que quería seguir a Cristo, pero no a este costo! Y se fue. Él amaba las riquezas. Y Cristo no lo llamó, aunque lo amó.

Lo que Jesús nos está diciendo es que sus discípulos, los del Camino, los que quieren marcar la diferencia en el mundo deben estar dispuestos a renunciar a cualquier cosa que Él nos pida. Comodidad, tiempo, pasiones.

La tarea es grande y se requiere determinación.

Hace rato que bajé de la montaña. Telluride y su impresionante belleza quedaron atrás. No hay más tiempo para la contemplación. Estoy en el valle, en mi trinchera. No tengo muchas armas propias para tamaña lucha, pero si juntamos las de todos aquellos que están dispuestos a darlo todo por Jesús, aquellos que aman de corazón y que están listos para la batalla, podemos lograrlo. Tú decides.

"Entonces Jesús dijo a sus discípulos: Si alguno quiere venir en pos de mí, niéguese a sí mismo, y tome su cruz, y sígame. Porque todo el que quiera salvar su vida, la perderá; y todo el que pierda su vida por causa de mí, la hallará".

—MATEO 16:24-25

MIS REFLEXIONES

_____

_____

_____

_____

_____

_____

_____

"*CUANDO TU MIRADA ESTÁ PUESTA EN TI MISMO, TENDRÁS TEMOR. CUANDO TU MIRADA ESTÁ PUESTA EN JESÚS, NADA TE DETENDRÁ*".

—FRANK LÓPEZ

*EMPRESARIO, AUTOR, COMUNICADOR
PASTOR DE JESUS WORSHIP CENTER,
DORAL, MIAMI - USA*

CONCLUSIONES

No me gustan las conclusiones. Pero me temo que debo darle un cierre a estas reflexiones.

Gracias por haber leído este sencillo escrito, hecho con el único anhelo de despertarnos para trabajar por un mundo mejor.

Hace muchos años, una amiga querida, esposa de un querido amigo, dirigiéndose a él y a mí, nos dijo: "Ustedes son soñadores".

Estas palabras me hicieron pensar, y volvieron a mi mente varias veces.

En este punto de mi carrera puedo afirmar que no, no es un asunto de "soñadores". Es algo intrínseco en cada seguidor de Jesús. Pensar como Él pensó, amar como Él amó, actuar como Él lo hizo.

Millones de seres humanos se resignan y aceptan la tragedia de la corrupción, la mentira, la pobreza, la injusticia. Los del Camino, ¡no!

Los del Camino luchan hasta el último aliento, son agentes de justicia. Aman a todos sin distinción, no juzgan a los demás. Los del Camino comparten las Buenas

Noticias de esperanza en Jesucristo con todos los que se relacionan.

¿Qué hay de ti? Yo espero que tú también seas de los del Camino. La vida es muy corta. Vamos a vivirla como a Él le agrada. Oro por ti con las palabras de Hebreos 13:20-21: *"Y el Dios de paz que resucitó de los muertos a nuestro Señor Jesucristo, el gran pastor de las ovejas, por la sangre del pacto eterno, os haga aptos en toda obra buena para que hagáis su voluntad, haciendo él en vosotros lo que es agradable delante de él por Jesucristo; al cual sea la gloria por los siglos de los siglos. Amén"*.

MIS DECISIONES

_____

_____

_____

_____

_____

_____

_____

_____

_____